— OS CÓDIGOS DO —
GESTOR DE REDES SOCIAIS

OS CÓDIGOS DO
GESTOR DE REDES SOCIAIS

KÉILA NEVES

Copyright © 2021
Direitos reservados e protegidos pela lei 9.610 de 19.2.1998.
Nenhuma parte deste livro pode ser reproduzida, arquivada em sistema de busca ou transmitida por qualquer meio, seja ele eletrônico, xérox, gravação ou outros, sem prévia autorização do detentor dos direitos, e não pode circular encadernada ou encapada de maneira distinta daquela em que foi publicada, ou sem que as mesmas condições sejam impostas aos compradores subsequentes.
1ª Edição 2021

Presidente: Paulo Roberto Houch
MTB 0083982/SP

Edição: Aline Ribeiro (contato@assessoarte.com.br)
Redação: Aline Marchiori
Projeto Gráfico: Rubens Martim (rm.martim@gmail.com)
Imagens: Shutterstock
Vendas: Tel.: (11) 3393-7723 (vendas@editoraonline.com.br)

Impresso no Brasil.
Foi feito o depósito legal.

Dados Internacionais de Catalogação na Publicação (CIP)
(eDOC BRASIL, Belo Horizonte/MG)

N518c	Neves, Keila. Os códigos do gestor de redes sociais: conquiste a tão sonhada liberdade financeira, geográfica e de tempo / Keila Neves. – Barueri, SP: Camelot, 2021. 15,5 x 23 cm ISBN 978-65-87817-38-5 1. Redes sociais. 2. Marketing na internet. 3. Mídia social. I.Título. CDD 302.231

Elaborado por Maurício Amormino Júnior – CRB6/2422

Direitos reservados à
IBC – Instituto Brasileiro de Cultura LTDA
CNPJ 04.207.648/0001-94
Avenida Juruá, 762 – Alphaville Industrial
CEP. 06455-010 – Barueri/SP
www.editoraonline.com.br

Sumário

Prefácio **11**

Capítulo 1
Gestor de Redes Sociais 13
O que é ser um Gestor de
Redes Sociais? 14
Profissão da década 14
Defina seus objetivos 15
Uma carreira, várias oportunidades! . 16
Habilidades essenciais 16
Gostar de redes sociais 16
Criatividade 17
Organização 17
Proatividade 17
Mapa do Gestor de Redes Sociais
de Resultado 18

Capítulo 2
Profissão Gestor de Redes Sociais 21
Funções do Gestor de
Redes Sociais 22
3 pontos importantes para
começar agora 23

Tipos de marketing 24
Marketing de *branding* 24
Marketing de resposta direta 24
Marketing de conteúdo 24
Afinal, o que é um nicho? 25
E o subnicho? 25
Defina sua persona/avatar 26
Construa o Seu Avatar 26

Capítulo 3
Como conquistar clientes 29
Faça coisas diferentes! 30
Tipos de cliente 31
Como conquistar seus primeiros
parceiros 32
Cliente bom x cliente ruim 33
Cliente demitido! 35
Quanto cobrar? 35

Capítulo 4
Primeiro cliente 39
E agora? 40
Google formulários 40

Sumário

O que é *briefing*? 41

Modelo de *briefing* 42

Primeiras ações 43

Mude o tipo de conta
no Instagram...........................43

Abra uma caixa de perguntas
nos Stories 43

Arrumando a casa...................44

Resolvendo problemas 45

Capítulo 5

Rotina de um Gestor de
Redes Sociais 47

Identificando um perfil saudável 48

Estude seu cliente 48

Linhas editoriais.....................49

Objetivos do cliente x seus
objetivos 49

Atente-se aos *directs* e
comentários 49

Provoque os micro resultados...........50

Capítulo 6

Criando conteúdo....................51

Conta de criador de
conteúdo x comercial..............52

Perfil pessoal ou profissional?............53

Aposte nas caixas de perguntas.........53

Não engesse seu conteúdo! 54

Compartilhando arquivos com
o cliente 54

Primeiras ações no perfil
do cliente.................................55

Funil de conteúdo...................57

Use e abuse dos *Stories* 59

Aposte nos *Reels*...................60

Linguagem assertiva...............61

Capítulo 7

Ferramentas importantes.......65

Canva 66

Trello 67

Asana 68

Aplicativos essenciais 68

Capítulo 8

Otimize o seu tempo...............71

Transforme uma hora em um
mês de conteúdo!....................72

Otimizando o tempo 72

Como criar roteiros de vídeos............73

Calendário de conteúdo.........74

Usando o Trello.......................74

Calendário do Google.............75

Não se adiante demais!...........75

Programação de conteúdo:
Instagram 75

Programação de conteúdo:
Youtube...................................76

Capítulo 9

Estratégias de Engajamento 77

Aumente seu engajamento.....78

Entenda as métricas................78

Métricas de conteúdo 78

Métricas de público.................80

Métricas por post....................81

Desvendando o algoritmo......82

Identificando problemas de
engajamento............................83

Como crescer nas redes sociais?.........84

Método CIA.............................85

Como aumentar o engajamento
nos *Stories* 86

Seja o primeiro nos *Stories* 88

Call to action........................89

Call to action nas lives..........90

Estratégia de comunidade......91

O poder das enquetes 92

Conteúdo assertivo 93

Sumário

Capítulo 10................................**95**

Como crescer nas redes sociais...........95

O segredo para crescer
na Internet..96

Rede social de sucesso.........................96

Como crescer no Instagram.................98

Entendendo o Youtube.........................99

Roteiro básico para Youtube.............100

Vale a pena usar o Telegram?............101

WhatsApp x Telegram.........................102

Capítulo 11

Relacionamento com a audiência.....105

Antropologia digital............................106

Conquiste a atenção
do público...106

Gatilhos mentais..................................107

Quantas vezes você já ficou
preso nas redes sociais?......................108

Gatilho da escassez.............................109

Seja uma autoridade!...........................112

Familiaridade...113

Compromisso com a audiência.........114

Capítulo 12

Desvendando o Youtube......................117

Entenda o Youtube...............................118

Frequência de postagens....................118

Tipos de conteúdo...............................119

Por trás das câmeras...........................120

Uso dos CTAs..120

Identidade visual..................................121

Acerte no conteúdo.............................121

Importância das métricas....................122

De olho no tempo de exibição..........122

Retenção do público...........................122

Como monetizar o seu canal?............123

Como crescer no Youtube?.................123

Conteúdo temporal ou
atemporal?..126

Capítulo 13

Linkedin para negócios.......................127

Como funciona o Linkedin?................128

Tenha um perfil campeão...................128

Criando um post...................................130

Por que criar artigos?..........................130

Linkedin Page.......................................131

Linkedin no celular..............................132

Métricas do Linkedin...........................132

Capítulo 14

Desvendando o Facebook...................135

Facebook como estratégia.................136

Como fazer publicação........................136

Criando uma sala.................................137

Comece uma comunidade..................138

Venda pelo marketplace......................138

Uso de hashtags...................................139

Como criar sua página........................140

Estúdio de criação...............................141

Facebook para celular.........................142

Capítulo 15

Dê olho nas novidades........................143

Tendências para a Internet.................144

Experiência real e virtual....................144

Aumento do consumo local...............144

Esteja onde o cliente está...................145

Uso de dados a seu favor...................145

Propósito nas redes sociais................145

Esqueça os números gigantescos....146

Conteúdos rápidos e dinâmicos.......146

Legendas maiores................................146

Conteúdo de parada............................146

E-commerce nas redes sociais..........147

Humanização do atendimento..........147

Mandamentos de um Gestor
de Redes Sociais..................................147

Bônus..**150**

Prefácio

A profissão do futuro chegou!

O mundo nunca foi tão digital! É fato, por conta da Internet, as empresas tiveram que se reinventar e adotar novas estratégias para ficarem mais próximas do consumidor final. É só observar como foi reduzida drasticamente a quantidade de propagandas na televisão; até um passado não muito distante, tínhamos diversos comerciais entre os intervalos das principais novelas do País. Atualmente, já não... Isso porque as empresas optam por anunciar onde está mais o consumidor: nas redes sociais.

Diante desse cenário, a profissão de Gestor de Redes Sociais nunca foi tão buscada por empresas de diversos nichos do mercado. Das grandes às pequenas marcas, é preciso se posicionar na Internet, entender o que quer a audiência, gerar conteúdo de valor e, acima de tudo, se relacionar para conquistar o tão sonhado engajamento.

Neste livro, Keila Neves apresenta com maestria os principais passos para um Gestor de Redes Sociais: desde orientações básicas – agendamento de postagens, análise de dados, respostas aos seguidores – até estratégias de como conseguir bons clientes.

Além disso, a autora instiga o conceito dos 3 L's com perfeição: liberdade financeira; liberdade de tempo; e liberdade geográfica. Afinal, a profissão de Gestor de Redes Sociais possibilita trabalhar em qualquer ponto do Planeta; você só irá precisar ter a conexão com Internet. Faça os seus horários e analise quantos clientes poderá atender para

Prefácio

conseguir ganhar o valor que deseja por mês. Resumindo: "mate o funcionário que existe dentro de você", destaca Keila Neves.

Para deixar a leitura ainda mais agradável, no decorrer das páginas deste livro, há atividades para colocar em prática e testar os conhecimentos adquiridos. Não deixe de fazê-las, caso queira realmente se transformar em um Gestor de Redes Sociais de sucesso!

Os editores

Capítulo 1

Gestor de Redes Sociais

Você sabia que o Gestor de Redes Sociais é a profissão que mais cresceu no Brasil nos últimos anos? Além de fortalecer marcas e torná-las conhecidas no mercado, a profissão também tem feito muitas pessoas mudarem de vida. Ser um Gestor de Redes Sociais possibilita que você tenha LIBERDADE e seja seu próprio chefe, trabalhando de onde e quando quiser!

Este profissional é um gestor de conteúdo, responsável pela gestão das redes sociais de uma marca ou pessoa. É ele quem desenvolve estratégias de crescimento, conteúdo e até relacionamento com o público para que a marca se desenvolva na Internet – o que já era necessário, mas que, nos últimos tempos, se tornou essencial para qualquer negócio que esteja na web.

Quer descobrir como conquistar uma nova carreira usando a Internet e trabalhando de sua casa? Siga em frente e confira o conteúdo que preparei para você!

O que é um Gestor de Redes Sociais?

Antes de seguirmos em frente, é preciso entender o que é um Gestor de Redes Sociais e quais são as suas funções. Você, com certeza, já deve ter escutado alguém falar ou já falou: "Ah, eu cuido das redes sociais da minha marca!" ou "Ajudo minha família com o Instagram da loja". Se você já ouviu ou faz alguma dessas tarefas, sim, você é um Gestor de Redes Sociais.

Este profissional faz o gerenciamento das redes sociais, ou seja, cria o conteúdo para atrair pessoas para verem o que você ou sua marca está fazendo e gera conexão com elas.

Algumas funções do Gestor de Redes Sociais são: pensar em estratégias de crescimento para as redes sociais, criar conteúdo e manter o relacionamento com o público.

Além disso, este profissional tem o poder de transformar uma marca física ou pessoal e fazer com que seguidores se tornem fãs e consumidores fiéis.

Profissão da década

Segundo o LinkedIn, rede social voltada para o mercado de trabalho, o gerenciamento de redes sociais teve a maior demanda do mercado no ano de 2020, tendo uma procura média de 122%. Esse dado foi coletado após o LinkedIn analisar as profissões com maior movimentação no período e fazer o cálculo de crescimento, utilizando o número de contratações e taxa de crescimento para cada uma.

Cada dia mais, as pessoas enxergam a importância da presença nas redes sociais e querem se posicionar na Internet, o que influenciou nessa busca pela profissão de Gestor de Redes Sociais. Além disso, nos últimos tempos, esse crescimento foi ainda mais veloz, pois se tornou essencial estar presente na Internet e ter um posicionamento e estratégias claras de crescimento.

Com boas estratégias e conteúdo de qualidade, é possível aumentar vendas, fidelizar clientes, fortalecer a sua marca e muito mais.

Defina seus objetivos

Apesar de ser uma área promissora e de grande busca, é necessário saber que é um trabalho que demanda esforço como qualquer outro. Por isso, saiba que é comum haver dias em que você terá vontade de desistir. Para que isso não aconteça, tenha em mente quais os objetivos que o levou a escolher essa profissão. Como, por exemplo, comprar uma casa, um carro, ter estabilidade financeira ou, até mesmo, ser seu próprio chefe, empreender na Internet, se tornar uma referência na área ou outros mais.

Algo importante que você precisa saber é que faz toda a diferença trabalhar com clientes de nichos que você se identifica. Caso contrário, o trabalho se tornará árduo. Busque nichos que você se interesse e goste de aprender sobre esse trabalho que demandará pesquisas frequentes na área.

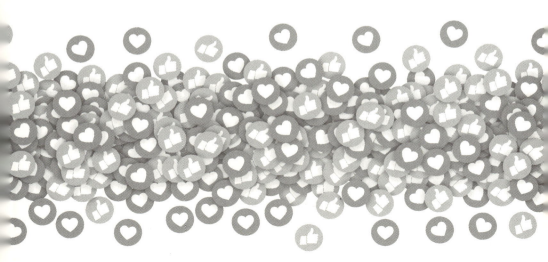

Uma carreira, várias oportunidades!

A carreira de Gestor de Redes Sociais é uma ótima porta de entrada para quem deseja atuar no marketing digital, pois permite que você tenha base de conhecimento para outras áreas.

Trabalhando como Gestor de Redes Sociais, você começa a entender sobre o comportamento das pessoas, aprende a escrever melhor, ser persuasivo, se posicionar e estruturar um posicionamento para outras pessoas. Por exemplo, para ser um profissional de tráfego, você precisa entender o comportamento humano para fazer campanhas assertivas; já para trabalhar com lançamentos, é preciso usar estratégias de marketing de conteúdo. E além do mais, é necessário saber persuadir as pessoas para que elas tenham interesse em comprar o seu produto.

O segredo de um bom profissional da área está nesses seguintes pilares: persuasão, comportamento e escrita. Se você consegue adquirir essas habilidades, há grandes chances de ser um Gestor de Redes Sociais de sucesso. Com o passar do tempo, após desenvolver as suas atividades, você pode até aumentar o leque de serviços prestados, ampliando para outras áreas do marketing digital.

Habilidades essenciais

Um Gestor de Redes Sociais de sucesso precisa desenvolver quatro habilidades essenciais para que ele evolua na profissão. A seguir, explico cada uma delas!

Gostar de redes sociais

Gostar de navegar pela Internet, olhando fotos de amigos e celebridades é uma coisa, trabalhar com isso é outra. Para ser um bom profissional, você precisa gostar de várias redes sociais, não só Instagram ou Facebook. O Instagram é uma boa porta de entrada, mas você vai perceber com o tempo que há clientes que não se desenvolvem em algumas redes, então você precisará dominar outras plataformas para criar suas estratégias. Vá além e entenda outras ferramentas, como o YouTube, LinkedIn e até TikTok.

Criatividade

Sim, um Gestor de Redes Sociais precisa ser criativo. Terão dias de bloqueio criativo? Sim, isso é normal. Mas será necessário pensar fora da caixa para surpreender os seus clientes.

Desenvolver a criatividade é uma habilidade que surge quando você consome muito conteúdo, seja ele através de leitura, vídeos ou áudios. Esteja sempre atento!

Organização

Não há Gestor de Redes Sociais sem organização. Além de permitir que você atenda mais e melhor os seus clientes, também é possível otimizar o seu tempo para não ficar 24 horas por dia trabalhando. Claro que há períodos em que será necessário trabalhar mais, mas, quando você organiza o seu tempo, consegue trabalhar com liberdade.

Proatividade

Essa é a habilidade mais importante que você precisa desenvolver, afinal, você pode não ser a pessoa mais organizada, criativa e pode não saber sobre todas as redes sociais. Mas, quando você é proativo, consegue surpreender os seus clientes de maneira positiva.

Saia do comum, estude sobre o nicho dos seus clientes, não espere que eles peçam algo, apenas faça! Isso o deixará muitos passos à frente da concorrência.

Mapa do Gestor de Redes Sociais de Resultado

Responda cada etapa deste mapa e use-o para guiar os seus passos como gestor.

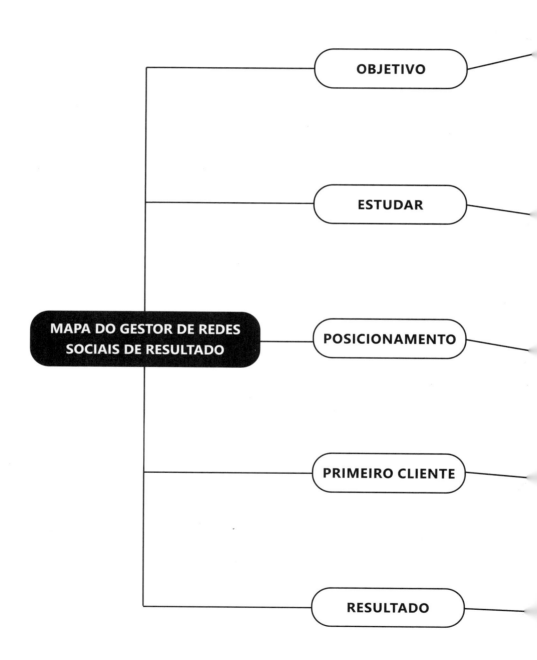

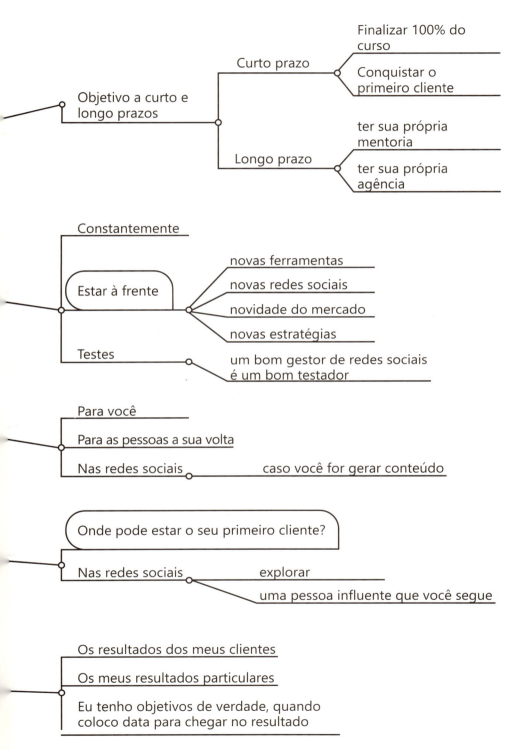

Capítulo 2

Profissão Gestor de Redes Sociais

Agora que você já entendeu mais sobre o mercado e as habilidades necessárias para um Gestor de Redes Sociais, chegou a hora de entender mais sobre a profissão.

Este capítulo foi criado para você que decidiu que quer mergulhar de corpo inteiro na área de Gestão de Redes Sociais e precisa entender mais as funções diárias do profissional, além de querer aprender como escolher o nicho ideal e realmente tirar os seus planos do papel para começar a empreender na Internet.

A seguir, apresento tudo o que você precisa saber para começar na carreira de Gestor de Redes Sociais preparado e conquistar a sua cartela de clientes fiéis.

Funções do Gestor de Redes Sociais

Chegou um dos momentos que você mais estava esperando: entender quais são as funções rotineiras da profissão. Existem realmente várias funções a serem executadas. Com o passar do tempo e experiência adquirida, é possível se especializar em uma delas e trabalhar em parceria com outros profissionais. As possibilidades são inúmeras.

Abaixo estão as cinco principais funções do Gestor de Redes Sociais. É interessante que você coloque todas em prática, assim vai saber qual é a sua melhor habilidade!

1) Gerenciamento de redes sociais

Essa função abrange praticamente todas outras. Quando você gerencia, resolve todas as pendências para o seu cliente. É o responsável pelo todo, desde a estratégia, contato com o profissional de designer, de vídeo, programador de posts, se os clientes estão sendo respondidos, como a página está se desenvolvendo e outras.

2) Agendamento de postagens

Aqui entramos novamente no quesito organização. É preciso se programar e agendar as postagens no Estúdio de Criação do Facebook para que a página tenha uma constância.

3) Análise de dados

Os números não são tudo, mas ajudam a guiar a sua estratégia. É importante analisar se a frequência de postagens está funcionando, se as pessoas comentam, interagem etc. Essas análises precisam estar de acordo com o objetivo do seu cliente, seja este para melhorar o relacionamento com o público, fortalecer a marca ou até mesmo vender mais.

4) Responder *directs* e comentários

A interação com o público é essencial em uma rede social. É preciso ficar atento para responder às mensagens por direct e aos comentários com agilidade e de acordo com a linguagem e posicionamento do cliente.

5) Criação de estratégias

Aqui você irá analisar o todo, para criar estratégias de gerenciamento, planejamento de postagens, tudo de acordo com o objetivo do seu cliente. O Gestor de Redes Sociais foca em resultados! E os resultados devem ser baseados de acordo com os objetivos do cliente, não os seus.

3 pontos importantes para começar agora

Agora é a sua vez!
Para treinar as suas habilidades de Gestor de Redes Sociais, faça um post agendado pelo estúdio de Criação do Facebook e fique atento se ele irá subir exatamente no horário programado. Não sabe como fazer? Clique, navegue pela página e tente até aprender, pois é assim que este profissional se desenvolve!

Existem três pontos cruciais que um Gestor de Redes Sociais deve colocar em prática ao se dedicar à profissão, que é matar o funcionário que existe dentro de si, aceitar os 3 L's, e gerar valor para o cliente. Abaixo explicaremos cada um:

MATE O FUNCIONÁRIO QUE EXISTE DENTRO DE VOCÊ
Tire da sua cabeça aquela coisa metódica da vida CLT! Para ser empreendedor, você precisa virar essa chave e se tornar o seu próprio chefe. Só assim você vai saber o quanto cobrar dos clientes, se valorizar e aproveitar o seu tempo da melhor forma.

ACEITE OS 3 L'S
1- Liberdade financeira: você é quem irá decidir o quanto você quer ganhar por mês. Quantos clientes você pretende ter para conquistar o valor que deseja ganhar?

2- Liberdade de tempo: estipule metas para trabalhar mais ou menos de acordo com os seus objetivos. Lembre-se que, ao conquistá-los, é preciso aproveitar para usufruir.

3- Liberdade geográfica: com os outros dois L's bem-definidos, você pode decidir de onde quer trabalhar.

GERE VALOR PARA O CLIENTE

Vá além do que prometeu para o cliente. Entregue sempre mais! Posicione a sua empresa como aquela que entrega sempre além e com excelência.

Tipos de marketing

Há diversos tipos de marketing existentes no mercado, mas, dentro da profissão de Gestor de Redes Sociais, você vai trabalhar mais com os seguintes:

Marketing de *branding*

Branding nada mais é do que construir uma marca. São estratégias que ajudam a posicionar o seu negócio ou imagem. O posicionamento é a maneira como você escolhe transmitir a sua imagem, a sua autoridade, são as suas brincadeiras, a maneira de se apresentar, tudo isso posiciona. Esse tipo de marketing pode acontecer tanto por repetição ou *storytelling,* quando você cria uma narrativa para o público.

Marketing de resposta direta

É o conjunto de estratégias de *copywriting* ou tráfego que faz com que as pessoas respondam imediatamente a uma publicação. Esse tipo de marketing, muitas vezes, vem acompanhado de um CTA, que, em inglês, significa *call to action*, que é uma chamada para uma ação, quando você convida a audiência a marcar alguém, contar uma história, etc.

É um tipo de marketing tão eficaz que, muitas vezes, a pessoa só bate o olho na publicação e já tem uma ação imediata.

Marketing de conteúdo

É você conquistar a atenção das pessoas oferecendo uma informação ou compartilhando um conhecimento com o intuito de que elas se conectem a você. Nesse tipo de marketing, não é preciso fazer nenhuma chamada, você oferece um conteúdo de valor para que as pessoas se conectem e se atraiam pelo seu perfil. É um tipo de marketing muito usado por lançadores de infoprodutos.

Afinal, o que é um nicho?

Você escuta todo mundo falar sobre nicho, que ele é importante, mas não entende muito bem o que significa? Muita calma, vou explicar agora!

O nicho é o mercado de atuação do seu cliente, o assunto geral sobre o qual ele fala na Internet. Por exemplo: marketing, negócios, beleza, medicina, entre outros.

É importante ter um nicho, pois quem acaba querendo falar sobre tudo, acaba não falando sobre nada e tem dificuldade em se estabelecer com uma autoridade.

E o subnicho?

Além do nicho, é muito importante ter um subnicho. Ele não é definido por nenhum fator externo, quem define o seu subnicho é você ou, no caso, o seu cliente.

O seu subnicho é uma parcela do nicho. Por exemplo, o marketing é o nicho, e o marketing digital um subnicho. Já o gerenciamento de conteúdo para redes sociais é outro subnicho. Outro exemplo: fotografia é um nicho, fotografia para casamento é um subnicho, fotografia para casamento boho é outro subnicho.

Vale lembrar que quanto mais você subnichar o assunto sobre o qual fala, mais você se posicionará como uma autoridade dentro daquele tema. No início da carreira como Gestor de Redes Sociais, é interessante ter clientes de vários nichos e subnichos diferentes, mas, com o tempo, você vai encontrar uma área com a qual se identifica mais. E por que não se tornar uma autoridade nela?

NICHO
Marketing

SUBNICHOS
Marketing digital
Gerenciamento de conteúdo

Defina sua persona/avatar

Depois que você define o seu nicho e o subnicho, é essencial saber com quem você está falando para desenvolver a linguagem e as estratégias assertivas. A persona ou avatar é um "personagem" que representa a pessoa ideal que consome o seu conteúdo. É uma pessoa fictícia com nome, sobrenome, idade, que possui hábitos no dia a dia, inseguranças, desejos, dificuldades, que estuda, trabalha, etc.

Contudo, afinal, como identificar tudo isso e criar uma persona? Simples, fazendo pesquisas com a sua audiência. Use ferramentas como o Google Forms ou até mesmo a enquete do Instagram Stories para descobrir o perfil e hábitos da sua audiência. Quando você sabe qual é a sua persona, consegue usar a linguagem e o posicionamento correto para atraí-la.

Construa o Seu Avatar
Perguntas para fazer para a audiência e definir a sua persona:

Qual é a sua idade?

O que gosta de fazer nas horas vagas?

Ele trabalha? Com o que?

Quais as suas principais dores?

Quais são os seus sonhos?

> **Coloque em prática!**
> Crie um *Google Forms* ou enquetes nos *Stories* para que a sua audiência responda sobre o comportamento dela.

Entendendo o negócio do cliente

Você fechou negócio e conseguiu conquistar um cliente, mas agora não sabe como agir? Muita calma, a seguir, apresento algumas dicas que vão facilitar o relacionamento com o cliente e a criação de estratégias de um gestor de redes sociais.

Tão importante quanto saber o seu nicho e subnicho, também é conhecer a fundo o negócio do seu cliente, pois só assim você poderá trabalhar as estratégias certas para conquistar os objetivos dele.

Lembre-se sempre que um cliente feliz é aquele que alcança os seus resultados. E só é possível alcançar esses resultados se você sabe onde ele quer chegar.

Para atender o cliente da melhor forma, além da sua área de atuação, é preciso saber o seu subnicho e seus principais objetivos e desafios. Mas como questionar o cliente disso? Existe uma maneira de abordá-lo e fazer as perguntas certas para obter as respostas que deseja. Você não vai perguntar para o cliente: "Quem é a sua persona/avatar?", mas, sim, "Se pudesse definir agora, quem seria o seu cliente ideal?". A partir daí, o cliente lhe trará informações valiosas sobre as pessoas que ele deseja atender e que vão ajudá-lo a definir as suas estratégias. Na fala do cliente, normalmente, já é possível saber as dores da persona, a sua personalidade e os seus hábitos.

Essa comunicação inicial é essencial para uma estratégia assertiva, além disso, é nesse bate-papo que você vai conseguir ter *highlights* sobre conteúdos para as redes sociais dele, vai entender onde está o público, se é no Instagram, Facebook, YouTube, LinkedIn.... Enfim, essa conversa irá desenhar o seu negócio e as linhas editoriais do novo cliente. Portanto, a dica é: sempre que captar um cliente tenha essa conversa inicial. Jamais pule essa etapa! Você só vai entregar resultados se entender a fundo o que o seu cliente deseja com o serviço adquirido.

TESTE SEUS CONHECIMENTOS
Você ainda não tem cliente? Escreva aqui qual é a sua persona. Caso tenha um cliente, coloque aqui a persona dele.

Capítulo 3

Como conquistar clientes

Agora que você já sabe qual é a importância de se ter/ser um bom gestor de redes sociais e quais são as principais funções e habilidades deste profissional de sucesso, que tal colocar em prática o conhecimento adquirido, captar seus primeiros clientes e começar a lucrar?

Se você se animou, mas não sabe por onde começar, siga em frente! Nas próximas páginas, você vai aprender desde como abordar possíveis clientes até entender os diferentes tipos de clientes, como atender às expectativas deles, como cobrar e valorizar o seu trabalho, enfim, tudo o que você precisa para se posicionar e agregar valor para as pessoas que usufruirão de seus serviços.

Este capítulo é parada obrigatória para o gestor de redes sociais que deseja se destacar no mercado sem abrir espaço para concorrência.

Faça coisas diferentes!

Você deve ter estranhado este título em um capítulo sobre conquistar clientes. No entanto, afinal, o que tem a ver fazer coisas diferentes com isso? Tem tudo a ver!

Agora que você decidiu empreender e começar uma nova carreira como gestor de redes sociais, é importante que você faça coisas diferentes, como frequentar novos lugares e conhecer pessoas diferentes do seu círculo social para ter contato com novas linguagens. Além disso, pessoas novas podem ser sempre potenciais clientes. A ideia aqui é não deixá-lo se acomodar! Se você possui clientes, conquiste novos! Se ainda não tem nenhum, corra atrás dos seus. Quando você busca coisas novas e diferentes, é inevitável que as coisas melhorem para você.

Outra questão importante é pontuar seus erros e acertos para aprender com eles. Está fazendo um curso e nele há pessoas com resultado e você não saiu do lugar? Tente entender o que está travando o seu sucesso. Jamais coloque a culpa em coisas ou pessoas, você é o responsável pelos seus resultados. Faça acontecer!

PARA REFLETIR!

Pontue abaixo três fatores que o impedem de crescer e conquistar aquilo o que deseja.

Tipos de cliente

Na jornada como gestor de redes sociais, você vai perceber que existem dois tipos de clientes para conquistar. Entenda-os a seguir:

O cliente que conhece seu trabalho

Esse cliente ou já teve alguma indicação sobre o seu trabalho, sabe o quanto valor você tem para agregar a ele, conhece suas habilidades e está seguro da sua contratação. Com esse tipo, você já pode marcar uma reunião, falar sobre os seus serviços, que ele estará mais propenso a fechar negócio.

O cliente que NÃO conhece seu trabalho

Esse tipo de cliente você precisa ir atrás, não é ele que virá atrás de você. Para isso, é preciso gerar valor para ele. O que muitas pessoas erram é em achar que está oferecendo algo bom, mas, que, no momento, não gera valor nenhum para o cliente.

Tenha claro na sua mente qual é a geração de valor que o cliente precisa. Jamais pergunte para ele "Como posso te ajudar?". Você gera valor quando impressiona e entrega algo que o cliente precisa, mas ainda não pediu.

COMECE A PRATICAR!

Faça uma lista com 10 clientes que você tem interesse em atender e gerar valor para eles!

Como conquistar seus primeiros parceiros

Chegou o momento de aprender a técnica que vai te ajudar a conquistar os seus primeiros clientes. O mais interessante é que você pode colocá-la em prática agora e começar a obter resultados.

Comece entrando no Instagram e vá até a aba "explorar". Lá, você vai buscar por uma *hashtag* interessante dentro do nicho que deseja atender. Pode ser qualquer área, por exemplo, medicina, estética, pizzaria, restaurante, moda... Ao buscar pela *hashtag*, irão aparecer várias fotos, encontre as que chamam a sua atenção, entre no perfil e veja se pode gerar valor para ele. Se a resposta for sim, próxima etapa.

Entre em contato com o perfil enviando uma mensagem, mas lembre-se de não fazer textão, vá enviando as mensagens quebradas normalmente para dar um toque pessoal e não de mensagem automatizada.

Envie uma mensagem mais ou menos assim:

"Olá, (nome da pessoa). Eu sou (seu nome), vi seu perfil e achei muito legal.

Me identifiquei com o seu trabalho e gostaria de fazer um convite.

Estou iniciando como Gestor de Redes Sociais e buscando perfis para colocar em prática o que estou aprendendo.

Gostaria de fazer uma parceria com você, pois acredito que possa gerar ainda mais valor para a sua página.

Se estiver interessado, entre em contato comigo por WhatsApp (deixe o link para que a pessoa vá direto para a conversa)."

Assim que a pessoa entrar em contato com você, ofereça uma parceria gratuita de sete dias para colocar em prática as estratégias que aprendeu. Durante essa semana, você vai gerar valor para aquele perfil de maneira genuína, criando posts, respondendo seguidores... Nesta etapa, você não fará perguntas, será apenas objetivo e executor.

Se a pessoa topar, durante essa semana, você dará o seu melhor e, ao final dos sete dias, agradeça pela oportunidade, diga que aprendeu muito e fale que está entregando o perfil.

Se durante os sete dias você ofereceu um trabalho muito bom, a pessoa, com certeza, vai perguntar quanto você cobra para seguir com o serviço. Caso contrário, seguirá a vida. E assim você pode ir conquistando os seus primeiros clientes. Essa estratégia funciona como um período de teste, no qual o possível cliente experimenta o seu trabalho e analisa se ele é legal tanto para ele, como também para você.

> **Vamos lá!**
> Coloque já esta estratégia em prática! Faça isso agora e aborde clientes até fechar a sua primeira parceria.

Cliente bom x cliente ruim

Como em qualquer outra área, na vida do gestor de redes sociais também existem os clientes bons e ruins. Para identificar quais são os seus e ficar em alerta, apresento melhor cada um deles.

Cliente ruim

É aquele que não gera conteúdo, não passa material para que o gestor de redes sociais trabalhe, não para a agenda dele para fazer *Stories*, não grava vídeos, enfim, não está nem aí com a produção de conteúdo. Ele só quer crescer, mas não quer fazer nada para isso.

Cliente perfeccionista

Ele dá trabalho, não dá espaço para erros e nem para tentativas e não deixa seu trabalho avançar, porque se preocupa com detalhes, como não gostou da roupa dele no vídeo, de uma palavra que ele falou de uma maneira diferente, entre tantos outras questões pequenas.

Cliente que não paga

Sem dúvidas, esse é o pior tipo de cliente. Não tem nada mais chato do que trabalhar, dedicar tempo e estratégias, gerar valor para ele e não receber nada em troca. Esse tipo de cliente faz com que você desanime, então tome cuidado! Se você detectar que o seu é assim, não tenha medo de pular fora.

Cliente sabe tudo

É aquele que acha que sabe mais sempre. Você dá dicas, compartilha suas estratégias, mas tudo ele acha que o dele é o certo. Lembre-se que se a estratégia dele fosse boa, ele já teria crescido antes de contratá-lo. Então, verifique se ele estava crescendo antes disso e se realmente domina o assunto como acha.

Cliente bom

Esse cliente é aquele que entrega tudo na sua mão. Ele faz *stories*, não vê problemas em gerar um vídeo para que você possa postar e prefere resultados ao invés de estética. Além disso, ele paga direito e deixa o gestor livre para testar, errar e dar o seu melhor para conquistar o seu objetivo. Ele é o cliente parceiro, participativo e que sabe que vocês estão caminhando juntos para um bem em comum.

FAÇA UMA ANÁLISE
Agora que você fechou a sua primeira parceria,
escreva aqui quais são as características que você identifica
no seu parceiro neste momento.

Cliente demitido!

Sim, da mesma forma que o cliente escolhe você para prestar serviços, também é importante que você o escolha. Afinal, é um relacionamento diário. O trabalho precisa ser vantajoso e prazeroso para ambos os lados.

Existem algumas situações que indicam que pode ser a hora de demitir o seu cliente. Confira:

O cliente só pensa em dinheiro

Esse tipo de cliente não tem propósito, não pensa na mudança que o trabalho dele pode causar na vida das outras pessoas. Se o foco é só dinheiro, o retorno acaba sendo só conquistar coisas. Agora, se o cliente tem propósito, quer ajudar as pessoas a serem melhores, a prosperidade se torna natural.

O cliente não traz resultados

Da mesma forma que você precisa trazer resultados para os seus clientes, eles também precisam trazer para você. Sejam esses resultados financeiros, de crescimento ou até mesmo de *branding*.

O cliente não cresce com você

Isso é muito importante! Muitas vezes, você está em um ritmo, focada em crescimento, resultados, mas o cliente não está na mesma sintonia. Ele não se envolve para crescer, uma postagem ou outra está bom, ou seja, ele fica sempre no básico.

Quanto cobrar?

Na hora de decidir como precificar e valorizar o seu trabalho, é muito importante levar em conta cinco fatores importantes, como o potencial do cliente de trazer outros clientes, seu nível de autoridade, o quanto você quer trabalhar e ganhar, quanto tempo você gasta em determinado cliente, além da oferta e demanda. Quer entender melhor cada tópico? Apresento, em detalhes, abaixo:

1) Cliente pode trazer outros clientes

Pense se aquele perfil irá trazer um *branding* legal para o seu nome no mercado. Por exemplo, quando você fala que cuida desse perfil, as pessoas ficam surpresas, dão credibilidade? Se sim, você pode até pensar em fazer um desconto para esse cliente.

2) Seu nível de autoridade

Quando falamos de autoridade, não estamos falando de conhecimento, mas, sim, de execução, de aprendizado na prática, de colocar as suas estratégias em ação e obter resultados com elas. O seu nível de autoridade é definido pelos seus resultados. Quanto mais resultados tiver e melhores forem eles, mais você poderá cobrar.

3) Quanto tempo quer trabalhar e quanto quer ganhar?

Analise o seu tempo e o quanto deseja ganhar pelo seu trabalho e vá atrás desse resultado. Se você quer ter menos clientes, vai ter de cobrar um pouco mais. Agora, se tiver mais clientes, pode cobrar um pouco menos de cada. Isso é uma decisão sua!

4) Quanto tempo você gasta com o cliente?

No início, pode ser difícil ter noção disso, mas, com o tempo, você vai perceber que há clientes que geram muito conteúdo e precisam de mais dedicação. Faça uma análise do seu dia e veja o quanto você consegue dedicar para cada cliente.

5) Oferta e demanda

As pessoas começam a te procurar mais quando você tem resultados, e o seu nível de autoridade aumenta. Portanto, quanto mais resultados tiver, mais pessoas vão procurar pelo seu trabalho e um valor mais alto poderá colocar em seus trabalhos.

COLOQUE EM PRÁTICA

Liste cinco perfis com autoridade dentro do seu nicho que trarão um bom retorno. Entre em contato para conseguir uma parceria. Acredite no seu potencial!

Capítulo 4

Primeiro cliente

Com a conquista do primeiro cliente, chegam também importantes desafios: como receber esse cliente e organizar as demandas? Como entender quais são os objetivos e desafios dele? Em que momento devo estar em contato?

Saiba que essas e outras dúvidas são muito comuns com essa conquista. Pensando nisso, apresento este capítulo com tudo o que você precisa saber para fidelizar o seu primeiro cliente, ganhar experiência e conquistar muitos outros pela frente.

Nas páginas seguintes, aprenderá o que é *briefing* e qual a sua importância. Além disso, você vai entender como usar o *Google Forms* no seu dia a dia e quais os primeiros passos a dar com o perfil do cliente. Se deseja se tornar um gestor de redes sociais de sucesso e ser muito recomendado no mercado, devore este capítulo!

E agora?

Conquistou o primeiro cliente e não sabe o que fazer? Execute o que aprendeu aqui. Só conhecimento não trará resultado nenhum, é preciso aprender executando e colocando na prática. Há algumas ferramentas e estratégias que vão facilitar a sua rotina e falo sobre elas ao longo deste capítulo.

Google Formulários

Essa ferramenta do *Google* é gratuita e pode facilitar a sua rotina. Com ela você pode fazer pesquisas e captar dados valiosos.

Para criar o seu formulário, é muito simples! Busque por "Google Formulários" e faça *login* na sua conta do Gmail. Já existem vários modelos de formulários prontos que você pode personalizar da maneira que desejar, mas também há a possibilidade de criar um do zero.

A dica é escolher um tema simples ou algo que tenha a ver com o conteúdo do formulário. Isso é importante para não tirar a atenção do público da pesquisa, lembre-se que esse é o foco. Dentro de um modelo de pesquisa, é possível também mudar o tipo de pergunta e escolher entre dissertação, múltipla escolha ou escolha entre várias opções.

Após criar o seu formulário, crie a sua página de confirmação com uma mensagem, que pode ser um agradecimento ou até mesmo um local de destino para que a pessoa ganhe uma recompensa. Aliás, uma dica interessante é que, se for usar o "arraste aqui" para tirar uma pessoa do Instagram para responder a sua pesquisa, ofereça uma recompensa para o seguidor, que pode ser um *e-book*, um calendário ou algo que gere valor e faça com que ele tenha vontade de responder à pesquisa.

Formulário pronto? Clique em enviar e selecione a URL curta para compartilhar com os seus seguidores. Feito isso, toda vez que você logar na sua conta e entrar no formulário, conseguirá ver as respostas dadas. Prático e muito útil para a rotina de qualquer gestor de redes sociais.

> **Agora é a sua vez!**
> Teste seus conhecimentos e crie uma
> pesquisa no *Google Forms.*

O que é *briefing*?

Briefing é um conjunto de informações, uma coleta de dados para o desenvolvimento de um trabalho. Palavra inglesa que significa "resumo" em português. A palavra pode ser complicada, mas é uma etapa muito importante para seguir em frente e oferecer atendimento de qualidade para o cliente.

Quando você fecha um contrato com o cliente, é interessante enviar um *briefing* no *Google Forms* para reunir informações, como dados pessoais dele, para futuros contatos, geração de boletos, entre outras questões que considerar importante. Além disso, você também pode incluir perguntas-chave sobre o negócio dele, como:

- Qual é a sua área?
- Quanto tempo está no mercado?
- Qual é o seu cliente ideal?
- Qual é o seu objetivo com as redes sociais?
- Quais os principais desafios que enfrenta?

Lembre-se que, quando você já faz uma primeira reunião com o cliente, é natural que faça algumas dessas perguntas. Portanto, não as inclua no *briefing*. Isso passa uma má impressão, como se você não tivesse prestado atenção na conversa. Valorize o tempo do seu cliente — e o seu também!

Antes de seguir com um *briefing*, analise se coletou todas as informações nessa primeira conversa e se faz sentido para o cliente. Às vezes, somente com o bate-papo inicial, você já tem tudo o que precisa para seguir com o trabalho.

> **Faça o seu!**
> Agora, você vai conferir um modelo bem completo de *briefing*. Basta adaptá-lo à sua rotina e aos seus clientes. Siga em frente e, com base nos conhecimentos adquiridos, crie um *briefing* para o seu negócio.

Modelo de *briefing*

Para facilitar a sua rotina, confira este modelo de *briefing* e adapte a sua rotina e aos seus clientes!

MODELO DE *BRIEFING*

Responda às questões abaixo com atenção, pois serão essenciais para a produção de seu conteúdo!

Nome completo:

Como você acredita ser a pessoa que consome o seu conteúdo? Pode descrever idade, sexo, anseios, sonhos, estilo de vida...

Na usa opinião, quais os motivos que fazem uma pessoa a te seguir no Instagram ou em qualquer outra rede social?

Liste alguns assuntos que você gosta de falar nas redes sociais ou que você acha importante ser abordado.

Primeiras ações

Você já fechou com o seu primeiro cliente, enviou o briefing, entendeu o objetivo do perfil dele, o nicho, o subnicho e, agora, precisa fazer as coisas acontecerem? Confira quais são as primeiras ações para executar no perfil.

Mude o tipo de conta no Instagram

É comum que os clientes tenham conta pessoal e, nesse caso, o ideal é mudá-la para comercial, senão você perde acesso a várias ferramentas do Instagram, como as métricas, que são essenciais para entender se o perfil está saudável e evoluindo.

Para mudar a conta é simples:

• Acesse a página inicial do Instagram e clique nos três traços no canto superior direito da tela.
• Clique em conta.
• Mude a conta pessoal para criador de conteúdo ou comercial.

Antes de mudar, é importante que você entenda a diferença entre as duas, que são bem poucas. A conta de criador de conteúdo é interessante quando você não utiliza tráfego pago e quer usufruir de todas as ferramentas que o Instagram oferece.

Nos dois tipos de conta, você tem muito mais ferramentas, os *directs* ficam organizados entre geral e principal, e você tem o acesso às métricas. Uma coisa interessante que você pode combinar com o cliente é que "em principal" ficam as mensagens pessoais, de pessoas que você conhece, já "em geral", de clientes e novos contatos. Assim vocês combinam de você responder às gerais, e ele, às pessoais.

Abra uma caixa de perguntas nos *stories*

Crie uma caixa de perguntas para começar a interagir com a audiência do cliente. É por meio dela que você vai ter *insights* poderosos para as suas estratégias.

O primeiro objetivo com a caixinha é saber se as pessoas engajam com o cliente. Se ninguém mandar perguntas, você pode começar a estimular esse engajamento mandando as próprias perguntas e respondendo.

Já o segundo objetivo é saber se o público entendeu o assunto do cliente, se o nicho e o subnicho estão claros para eles. Caso não esteja, você terá de criar estratégias para melhorar isso.

Arrumando a casa

No primeiro contato com o perfil do seu cliente, arrume a casa, ou seja, analise a foto de perfil, bio, links, e destaques, para que o Instagram fique ainda mais atrativo. Entenda mais sobre cada um abaixo!

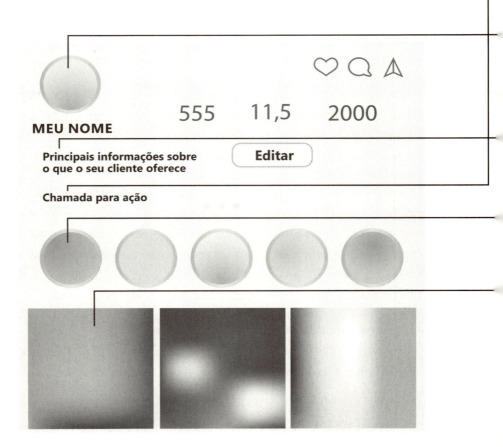

Foto de perfil: ela precisa ser clara, bonita, nítida (sempre que for fazer uma foto, limpe a câmera do celular para fazer boas imagens) e mostrar o rosto do seu cliente. Lembre-se que pessoas se conectam com pessoas! Tome cuidado com informações demais ao fundo da imagem que podem não transmitir aquilo que o cliente deseja. Menos é mais!

Bio: nesse espaço, deve ter o que o cliente traz de transformação com o seu conteúdo. Foque no *branding*! Apresente uma frase de impacto, a transformação e o que as pessoas encontrarão no perfil.

Call to action **(CTA): a** chamada para a ação deve ser clara e objetiva. Por exemplo, "fale comigo", "veja mais", "clique no link"... Lembre-se que o espaço do link é único, portanto, uma boa saída é usar um otimizador de links, colocando todos os locais onde o seguidor poderá encontrá-lo, como WhatsApp, site, entre outros. Pesquise sobre otimizadores de links (aqueles que, em um único link, possibilitam vários links) e encontrará opções boas e gratuitas.

Destaques: os *stories* duram apenas 24 horas e, se você deseja que os seus permaneçam na página, uma boa ideia é criar destaques. Organize os seus para que eles estejam alinhados com o seu conteúdo. Como você vai impressionar as pessoas e passar verdade com eles?

Feed: ele não precisa ser perfeitamente organizado, mas é necessário ter informações para chamar atenção do público. Tome muito cuidado com vídeos sem capa ou imagens que não tenham título.

Resolvendo problemas

Quando você conquista um cliente, é comum que ele tenha alguns problemas com o perfil, como baixo engajamento, perfil banido, e você precisará identificá-los para colocar estratégias em prática e reverter o quadro.

Entre as reclamações mais comuns, está o baixo engajamento. Uma maneira simples de observar isso é analisando métricas e também abrindo uma caixa de perguntas nos *stories*. Além de saber se as pessoas engajam com o cliente, também é possível descobrir como está o seu posicionamento, se as pessoas realmente entendem o seu nicho e subnicho.

Outro problema frequente que afeta alcance e engajamento é o perfil banido. Uma maneira de descobrir se o seu perfil está banido, é buscar a própria *hashtag* do cliente na aba explorar. Se a sua publicação aparecer dentro dessa *hashtag*, está ok. Caso contrário, há grandes chances do perfil estar banido.

A maioria das pessoas é banida pelo uso de *hashtags* inadequadas. Por isso, antes de usá-las, faça uma pesquisa prévia. Além de ter de fazer sentido com aquele conteúdo, busque essa *hashtag* na aba explorar. Se aparecer uma mensagem de "publicações ocultadas", é sinal de que ela está banida. "Sextou", "*always*" e "costume" são alguns exemplos de *hashtags* banidas.

E se descobrir que o seu perfil foi banido, o que fazer? Edite suas publicações e exclua as *hashtags* ou arquive publicações – se for um perfil de cliente, jamais exclua, apenas arquive. Feito isso, fique de três a quatro dias sem logar no Instagram e, após esse prazo, volte com tudo. Poste conteúdo de valor, *stories*, engaje com as pessoas... Geralmente, após essas medidas, o perfil volta ao normal, mas nem sempre o retorno é imediato e pode demorar até 30 dias. Tenha paciência e foque no seu conteúdo.

Capítulo 5

Rotina de um gestor de redes sociais

Se você chegou até aqui, já é um gestor de redes sociais ou está a poucos passos de se tornar um. Portanto, é bom saber alguns truques que vão facilitar a sua rotina.

Como metas principais, entenda as necessidades do seu cliente. O que ele deseja atingir com as redes sociais? A partir daí, crie estratégias de relacionamento com a audiência que ajudem o seu cliente a atingir o que deseja. Para tanto, conversar com os seguidores e tentar entendê-los é fundamental neste processo.

Neste capítulo, além de dicas de como organizar a sua rotina como gestor de redes sociais, você vai aprender a se posicionar com o cliente para oferecer um ótimo atendimento e resultados.

Afinal, se chegou até aqui, você já sabe que cliente feliz é aquele que tem resultados e o foco é trabalhar para conquistá-los. Siga em frente e anote todas as lições, porque elas são valiosas!

Identificando um perfil saudável

Ter um olhar crítico é fundamental para um gestor de redes sociais. Um perfil saudável é aquele que ganha seguidores, tem alcance e engajamento. Caso não tenha tudo isso, é preciso fazer uma análise criteriosa.

Muitas pessoas já utilizaram técnicas que são consideradas ilegais pelo Instagram e que burlam o algoritmo da rede social. Com isso, é comum que o perfil seja banido ou tenha o seu alcance reduzido.

O uso de *hashtags* banidas e automação são as principais causas para um perfil ser banido. A automação é um robô que segue e deixa de seguir pessoas. Além disso, também existe a compra de seguidores, quando você paga e o perfil começa a ganhar milhares de novos seguidores. Contudo, nada disso é eficaz, porque você ganha um público que não interage e não é qualificado, e ainda corre o risco de ser banido, pois é contra as regras da rede social.

Se você ou o seu cliente já fez uso de alguma dessas técnicas, é bem possível que o perfil esteja banido. Para saber, publique uma foto com uma *hashtag* que não esteja banida. Para tanto, vá até a aba explorar e busque por ela. Dentro dessa *hashtag* vão ter publicações relevantes e recentes. Vá até recentes e, se a sua publicação estiver lá, você não está banido; caso contrário, está.

Estude seu cliente

Já na sua primeira reunião com o cliente, solicite todo o material que ele tiver e que possa ser útil para você. É comum que inicialmente ele tenha receio de passar uma coisa ou outra que considere que não tenha ficado tão boa, mas, insista e explique o quão importante isso é para que entenda sobre o trabalho e conteúdo dele.

Dentro desse material podem estar palestras, materiais escritos ou livros, ou seja, tudo o que fizer com que você conheça o cliente melhor para dominar o assunto sobre o qual ele fala. Lembre-se que você precisa saber muito sobre o conteúdo do cliente para estar alinhado com o objetivo dele.

Linhas editoriais

As linhas editoriais são as linhas de segmento do conteúdo do cliente. São as diretrizes que vão guiar o conteúdo.

Essas linhas editoriais, geralmente, vêm de soluções sobre o assunto que o cliente fala nas redes sociais. Quais são as dores que o cliente resolve com o conteúdo dele? A partir dessas dores, você vai criando as linhas editoriais. Essas linhas deixam claro o que o cliente quer que você fale ou não no perfil dele.

Lembrando que não é preciso ser tão rígido com as linhas editoriais, porque vai existir cliente que a vida dele já é o conteúdo e aí, com as linhas editoriais, poderá engessar a criação. Por outro lado, há clientes que querem falar sobre tudo e acabam tirando o foco da estratégia principal. Nesse caso, é importante bater na tecla da linha editorial.

Objetivos do cliente x seus objetivos

É muito importante que você entenda isso para evitar frustrações dos dois lados. Na primeira reunião com o cliente, você precisa já saber o objetivo dele e, a partir daí, analisar em quais redes sociais ele estará e como vai se posicionar nelas.

Quando você sabe bem qual é o objetivo do cliente, alinha os objetivos dele aos seus. Vale lembrar que o foco do trabalho do gestor de redes sociais é alcançar os objetivos do cliente e gerar valor para ele sempre. Se cada um andar em uma direção, essa parceria pode não dar certo, portanto, tome muito cuidado nesse ponto.

Atente-se aos *directs* e comentários

Mesmo que você feche um contrato com um cliente e acorde que não irá cuidar de atendimento, respondendo o público por *direct* e comentários, por exemplo, é de extrema importância que, pelo menos, em um primeiro momento, você fique atento a eles.

É através das interações com o público que você consegue entender se as estratégias estão funcionando e como eles se sentem em relação aos conteúdos do seu cliente. As interações das pessoas são o maior termômetro para entender sobre o seu posicionamento. Aproveite ao máximo!

Provoque os microrresultados

Como o nome já indica, os microrresultados são conquistas pequenas e até simples que o ajudam a perceber o quanto está crescendo e se desenvolvendo na área. Provocar esses microrresultados é interessante tanto para você, como também para o cliente, que percebe que você está trabalhando e focado em entregar resultados para ele.

Esses microrresultados são pequenos passos e conquistas que você dá em direção a um resultado maior que, no caso, é o objetivo do seu cliente.

É muito importante que durante essa jornada você documente tudo o que faz. Por exemplo, pegou o perfil do cliente na rede social agora? Tire *print* das publicações, número de seguidores, alcance e impressões. Além disso, anote todos os problemas do cliente para que você foque em resolvê-los e mostrar esses resultados para ele.

Essas documentações são importantes para que você consiga mostrar o antes e depois para o seu cliente e também para poder mostrar para os futuros clientes os resultados do seu trabalho.

Sempre que analisar microrresultados, que podem ser aumento de alcance, uma diminuição da perda de seguidores, aumento de salvamento das publicações, crescimento da quantidade e visualização de *stories*, entre outros, apresente esses dados para o cliente, pontuando o que foi conquistado. Além de valorizar o seu trabalho, você cria um relacionamento com o cliente, que vai ficar satisfeito em ver a sua dedicação para conquistar o objetivo dele.

Documente seus passos

Agora que você entendeu a importância dos microrresultados, *print* todas as informações úteis, assim que pegar o perfil do seu cliente. Acompanhe as transformações no perfil dele com o passar dos dias.

Capítulo 6

Criando conteúdo

Uma das etapas fundamentais para o sucesso de um gestor de redes sociais é a criação de conteúdo. É por meio dele que você gera valor para os seguidores, se posiciona e consegue torná-los fãs da sua marca.

Contudo, não estou falando de qualquer tipo de conteúdo, mas o de valor, que agrega algo na vida de quem está recebendo.

Não sabe por onde começar a criar conteúdo para a sua página ou para os seus clientes? Muita calma, nas páginas seguintes, revelo os princípios do bom conteúdo, aquele que engaja e transforma o seu relacionamento com a audiência.

Neste capítulo, você vai entender a diferença entre a conta de criador de conteúdo e comercial, se é necessário ter um perfil profissional e um pessoal, a importância da caixinha de perguntas e de se ter uma linha editorial. Siga em frente e anote todas as dicas!

Conta de criador de conteúdo x comercial

Conforme já foi abordado, ao usar o Instagram de maneira profissional, o primeiro passo é alterar o seu tipo de conta. É necessário fazer isso para que o Instagram saiba que você não é mais um usuário comum, que tem algo a oferecer para a audiência.

Perfil pessoal ou profissional?

Essa é uma grande dúvida de quem possui perfil na Internet: ter um perfil pessoal ou um profissional? E a resposta é que depende! Tudo nas redes sociais são testes, tem coisas que podem funcionar para algumas pessoas, mas não para outras. Analise a fundo e faça alguns questionamentos.

O seu cliente é uma pessoa que todos os dias posta coisas da vida pessoal dele? Não é todo dia que se tem conteúdo pessoal para postar e, quando você liga essas duas coisas, é interessante que esteja tudo alinhado, de acordo com o seu posicionamento.

Pare e pense: será que se o cliente tiver dois perfis, ele vai conseguir gerar conteúdo para ambos? Se ele juntar os dois será que as pessoas vão conseguir se identificar mais?

Um fato sobre as redes sociais é que pessoas se conectam com pessoas. Se um perfil for só profissional, vai ser difícil as pessoas terem essa conexão. Quanto mais você conseguir trazer um toque pessoal e essa naturalidade, vai trazer os seguidores para perto de você.

Aposte nas caixas de perguntas

As caixinhas de perguntas do Instagram são ótimas pedidas para ver se o seu engajamento anda bom ou se o seu posicionamento está sendo percebido de maneira correta pela audiência.

Para quem não sabe, a caixa de perguntas é uma função que está nos seus *stories*. Quando você abrir uma, pode fazer um *story* falado ou em texto, essa escolha é sua. Basta fazer uma imagem, ir na função "perguntas" e colocar o texto que desejar na caixinha e escolher a cor que quiser.

Uma boa dica para fazer as pessoas responderem a sua caixinha de perguntas é antecipar o assunto. Faça *stories* falados explicando sobre o tema, mas não entregue tudo, estimule as pessoas a fazerem perguntas sobre o assunto. Muitas vezes, a audiência não sabe que têm dúvidas e, quando você estimula, ela começa a interagir.

Caso essa técnica não funcione, faça perguntas para si mesmo, a fim de estimular que outras pessoas também façam. Não desanime, no começo é assim mesmo, poucas pessoas respondem.

Na hora de responder, tente intercalar entre texto e vídeo para não ficar cansativo para os seguidores. Com o tempo e analisando métricas, você vai perceber a maneira que a audiência mais gosta de ser respondida.

Não engesse seu conteúdo!

Como você já conferiu nas páginas anteriores, as linhas editoriais são importantes para ajudar a organizar o seu conteúdo, porém elas não podem engessá-lo. A linha editorial cura as dores do seu público, então reflita quais são os problemas que você resolve quando cria um tipo de conteúdo.

As linhas editoriais podem mudar de acordo com o objetivo do cliente e de tempos em tempos, não é algo fixo e nem uma regra que deve ser seguida à risca.

Ao definir a sua linha editorial, é possível organizar o seu conteúdo de acordo com os dias da semana. Contudo, isso não pode impedir que crie conteúdos dinâmicos, que as pessoas estão querendo naquele momento. Por exemplo, você fala sobre gestão de redes sociais e tem um post sobre quanto cobrar pelo trabalho, mas, no dia anterior, falou sobre engajamento e as pessoas se animaram muito mais. O ideal é que você crie outro conteúdo sobre engajamento e siga de acordo com o que as pessoas estão querendo ver no momento. Com o tempo, você vai adquirindo esse olhar, mas o importante é não criar regras muito severas, afinal, o trabalho do gestor de redes sociais é dinâmico.

Compartilhando arquivos com o cliente

Há duas maneiras muito úteis de compartilhar arquivos de maneira simples e rápida com o seu cliente. Uma para iPhone e outra geral, confira abaixo!

Para iPhone

Crie um álbum compartilhado com o seu cliente.

- Basta ir até a galeria de fotos, clicar em + e em álbum compartilhado.
- Envie um convite para a pessoa que deseja compartilhar o álbum. Ele irá pelo e-mail cadastrado no iPhone.
- Feito isso, escolha a foto, vá até encaminhar e, depois, álbum compartilhado.

O mais legal é que é possível escrever até a legenda para que o cliente aprove de maneira simples e rápida.

No WhatsApp

Ao enviar fotos e vídeos, é comum que a qualidade seja reduzida. Para que isso não ocorra, vá em anexar documento e compartilhe o conteúdo. Dessa forma, ele não perde qualidade e você consegue compartilhar de maneira rápida.

Primeiras ações no perfil do cliente

Algumas ações são essenciais para "arrumar a casa" do cliente e otimizar o perfil dele. Confira!

Foto de perfil

A foto deve ser clara, nítida e mostrar o rosto do cliente. Nada de óculos escuros e rosto escondido. É por meio dessa foto que ele vai resumir o que faz naquele perfil e também ter uma conexão inicial com a audiência.

Bio organizada

A bio deve sempre falar sobre a transformação que o conteúdo gera e também o que as pessoas vão encontrar naquele perfil. Nem sempre essa bio será feita de primeira, é muito comum que, com o tempo, ela vá sendo modificada.

Tenha *stories*

O cliente deve sempre ter *stories* para que as pessoas se conectem com ele. Lembre-se que todos os dias têm pessoas chegando no perfil, e os *stories* são uma ótima pedida para que elas o conheçam melhor.

Destaques organizados

Eles precisam ser objetivos, ter capa e estar alinhados com o posicionamento do cliente. Você pode colocar capas coloridas de acordo com a identidade visual do cliente ou com ícones que representem esses destaques.

Buscando referências

Um bom gestor de redes sociais é aquele que possui um banco de dados com muitas referências para inovar nas estratégias e conteúdos de seus clientes. É possível reunir essas ideias em diferentes ferramentas, como em uma conversa com você por WhatsApp ou no próprio bloco de notas do celular.

Ter um banco de dados é essencial para abrir a sua cabeça para ideias. Quanto mais você consome conteúdo, mais a sua criatividade trabalha.

Confira sites e ferramentas para consumir conteúdo diariamente:

Pinterest

Esta rede social de fotos e vídeos para referências é excelente. Você pode organizar os seus dados em pastas de diferentes temas. Serve tanto para posts, como também para ideias de fotos e até vídeos. Além disso, é uma boa pedida para divulgar o trabalho de clientes que fazem muitas imagens no dia a dia, como loja de roupas, arquitetos, entre outros segmentos.

Google Alerts

Com os alertas do Google, você consegue se manter sempre atualizado do que está rolando na Internet.

Livros e séries

Pergunte para o seu cliente o que ele acompanha e lê. Isso é ótimo para tirar ideias de posts com frases e até *gifs* inspirados nos personagens de séries e filmes.

A audiência

Ela é a maior fonte de ideias que você pode ter. Fique atento aos comentários, perguntas e *directs*.

Funil de conteúdo

A base de criação de conteúdo para engajamento é o funil do conteúdo. Você sabe como ele funciona? Apresento a seguir.

Conteúdo de atração

Esse tipo de conteúdo é a primeira etapa e está até fora do funil. É um conteúdo que precisa chegar até as pessoas para que elas conheçam o seu trabalho e perfil.

Os conteúdos de coparticipação são ótimos para isso. A co-participação é quando você faz *lives* ou, até mesmo, vídeos com convidados. Porém, tome cuidado, esses convidados precisam ter relevância com o seu nicho, pois o público do convidado precisa se interessar pelo seu conteúdo e tema. É necessário que haja uma troca de valor entre as duas partes.

Conteúdos que gerem compartilhamento, que pedem para marcar um amigotambém são ótimas pedidas. Por exemplo: frases de impacto que as pessoas se identifiquem, situações do dia a dia, entre outras.

FUNIL E CONTEÚDO NAS REDES SOCIAIS

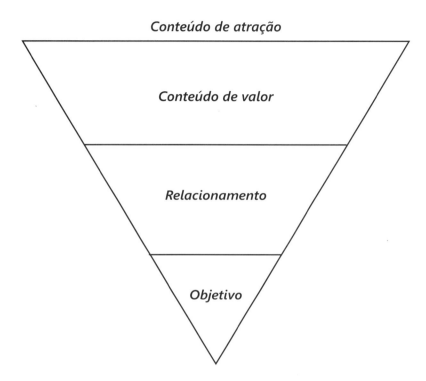

Depois que as pessoas são atraídas por um conteúdo seu, elas irão cair dentro do seu funil e chegaremos à fase do conteúdo de valor.

Conteúdo de valor

Esse tipo de conteúdo é a sua vitrine. Quando a pessoa olha o seu perfil e vê que tudo está de acordo com o que ela busca, que os conteúdos geram curiosidade e despertam o interesse, pronto, ela vai te seguir. É por isso que é tão importante ter a casa arrumada, com uma boa foto, uma bio interessante, destaques organizados e posts com títulos de destaques que deixem claro o que a pessoa vai encontrar por ali.

Quando a pessoa é atraída, você precisa mostrar para ela que gera valor, que ela vai ganhar algo estando ali.

Conteúdo de relacionamento

São as *lives*, vídeos tutoriais que você disponibiliza, os comentários que você dá atenção, *directs* respondidos, as dúvidas que você responde ao vivo, a atenção que você mostra que tem com os seguidores, enfim, são conteúdos pessoais e que conectam os seguidores a você. É aquilo o que faz para gerar esse relacionamento com a audiência e, quando eles possuem um relacionamento com você, elas vão para a última etapa do funil, que é o seu objetivo.

Objetivo

Ao chegar nessa etapa, a pessoa estará tão conectada e envolvida com você, que irá no seu evento, vai querer a sua mentoria, comprará os seus cursos, acompanhará as suas *lives*, consumirá o seu conteúdo, compartilhará com os amigos, enfim, independentemente do seu objetivo, ele só irá se realizar se você conseguir nutrir o seu relacionamento com a sua audiência ao longo do funil.

Use e abuse dos *stories*

A função *stories* do Instagram é uma ótima oportunidade de geração de conteúdo. E o melhor é que esse conteúdo pode ser bem dinâmico, pois conta com inúmeras funcionalidades para você abusar da sua criatividade e prender a atenção dos seus seguidores.

Dentro dos *stories*, você pode criar conteúdo em foto, vídeo, *boomerang*, que é aquele que se move, e até texto. Você pode também subir uma imagem da sua galeria e apostar no uso das ferramentas para deixá-la mais atrativa. Os *stories* permitem que você inclua textos personalizados com a cor que desejar, usar fontes diferentes, entre outras opções que podem enriquecer o seu conteúdo.

Nas funções dos *stories*, estão figurinhas, a parte de *delivery*, nas quais restaurantes podem incluir o link direto para aplicativos de pedidos, marcar negócios locais, *gifs*, enquetes, questões de múltipla escolha, responder a perguntas, localização, horário, clima, entre outras funcionalidades.

Além das ferramentas do próprio Instagram, há vários aplicativos disponíveis no mercado que ajudam na criação de *stories* criativos. Um bom exemplo é o *Mojo*, que cria *stories* animados, e o *Unfold*, que possui *backgrounds* diferentes. No capítulo sobre "ferramentas úteis", indicarei mais alguns.

Uma boa dica é que o Instagram disponibiliza, de tempos em tempos, algumas figurinhas e, se elas estiverem dentro do seu nicho, pode apostar sem medo. Dessa forma, você pode conquistar um alcance maior. Vale lembrar que, quando o Instagram lança algo novo, ele estimula os usuários a utilizarem aumentando o alcance de quem as utiliza.

Outra opção para ajudá-lo a aumentar o seu engajamento é usar enquetes. Está com visualizações baixas nos *stories*? Comece a fazer algumas enquetes que estimulem o público a responder logo de manhã. O que acontece é que, quando as pessoas interagem, isso conta mais pontos com o algoritmo, fazendo com que ele aumente o seu alcance e a sua "bolinha" dos *stories* apareça para mais seguidores.

Agora responda rápido: você utiliza todas as funcionalidades dentro dos *stories*? Se a resposta for "não", chegou a hora de reavaliar isso dentro da sua estratégia. O algoritmo do Instagram simpatiza com o uso das suas ferramentas, então quanto mais puder usar no seu dia a dia, melhor para o seu alcance. Só tome cuidado para não exagerar e colocar tudo em um *story* só, combinado? É legal usar, mas com atenção.

Aposte nos *reels*

Antes de seguir em frente, você precisa entender o que são os *reels*. Eles são vídeos criativos e curtos, criados no Instagram, nos quais você pode incluir músicas, cortes diferentes e criativos. É uma ferramenta para ficar atento, pois é uma das grandes tendências em conteúdo para os próximos anos.

Criar o seu *reels* é fácil, mas precisa de um certo treino. Ao entrar no seu perfil, na aba onde você consegue ler a sua bio e ver os últimos posts, no canto superior direito terá um sinal de + e, clicando ali, você consegue escolher fazer uma nova publicação. Escolha a opção "Vídeo do *reels*". Feito isso, comece a criar!

No *reels*, é possível fazer *takes*, incluir músicas, áudios usados por outras pessoas ou até fazer os seus próprios áudios, deixar mais rápido ou devagar, usar filtros, e até colocar um temporizador para definir uma contagem regressiva para começar a gravar e um momento para ele parar. A ferramenta é bem dinâmica, você pode cortar esses vídeos, assistir antes de postar, apagar e fazer de novo. Com o *reels* pronto, é possível incluir textos e determinar onde eles entram e onde saem, além de inserir *gifs* e informações. A única coisa que não é possível é marcar pessoas no vídeo, mas na legenda, sim.

Há duas opções para publicar o seu *reels*, apenas nos *stories* para os seus seguidores, ou na *reels* com a chamada para o *feed*. A segunda opção é sempre melhor, pois o *reels*, como é uma ferramenta nova, possui um alcance muito alto, então, quando você compartilha, ele vai para muito mais pessoas e pode cair até no explorar.

Use o *reels* para dar dicas dentro do seu nicho, fazer vídeos bem-humorados, mostrar os seus bastidores, dublar áudios que se encaixem dentro do seu nicho, entre outras ideias que considerar relevante. Uma boa dica é usar áudios que são virais, pois eles possuem uma busca maior e, ao usá-lo, o seu vídeo aparece dentro da biblioteca daquele áudio.

Ao criar um áudio autoral, se você for criativo, outra opção é que as pessoas possam compartilhar e fazer dublagens com ele. Ou seja, é uma ferramenta que, cada vez mais ganha admiradores e que pode trazer possibilidades enormes de crescimento para o seu perfil ou do seu cliente no Instagram. Aposte e veja os resultados!

Vale lembrar que todas as ferramentas novas do Instagram são disponibilizadas com um ótimo alcance para incentivar o uso dos usuários. Por isso, aproveite!

> **Agora é a sua vez!**
> Entendeu como o *Reels* funciona? Então, a missão deste capítulo é correr para o Instagram e criar um usando o máximo de funcionalidades que conseguir!

Linguagem assertiva

Existem dois truques que podem tornar a sua linguagem cada dia mais assertiva para o seu público, trazendo-os para próximo de você. São elas:

Falar de forma natural

Nas redes sociais, você precisa ser o mais natural possível para alcançar o seu público. Como você fala com as pessoas do seu meio? Entendo que possa ser difícil se soltar na frente da tela do celular ou câmera, mas comece a treinar, isso faz toda a diferença no resultado para que as pessoas tenham conexão com você. Uma boa dica é fingir que tem uma pessoa à sua frente e que você está conversando com ela.

Conhecer a sua persona

Qual é a dor do seu público? Onde ele vai? Que tipo de assuntos eles consomem? Quando você sabe, tudo isso fica mais fácil de criar conteúdos, se comunicar e até criar ganchos que deixem as informações mais dinâmicas. Da mesma forma que as pessoas estão interessadas em você, o contrário também precisa acontecer. Quando você faz perguntas, mostra para o público que está interessado nele tanto quanto ele por você. Pense nisso!

Invista nos seus conteúdos

Neste tópico, apresento detalhes que você inclui na sua rotina ou no dia a dia do seu cliente, mas que fazem toda a diferença no seu alcance e engajamento.

Por exemplo, você divulga seus posts nos *stories*? Faça *stories* falando sobre os conteúdos que tem gerado, avise às pessoas que tem um post novo. É muito importante que você realmente dê atenção aos seus conteúdos, porque, pare e pense, se nem você dá atenção aos seus posts, por que a sua audiência daria? Interaja e crie enquetes, enfim, deixe as pessoas com vontade de conferir o post novo.

Em alguns momentos, também é interessante reservar alguns dias para postar mais de uma vez e observar o comportamento dos seguidores. Mas estamos falando aqui de posts com conteúdo de valor, não aqueles que você faz por fazer. Traga assuntos densos, que as pessoas vão ver que você realmente escreveu e quis gerar valor a elas.

Quando for fazer posts vazios, com um conteúdo que não gere valor, pense melhor, pois é bom nem fazer, porque não vai ganhar a interação das pessoas. Sem qualidade, não faça! Comece a gerar conteúdos que alcancem o objetivo do seu perfil, tenha isso muito claro. Postar só pela constância e por conta do algoritmo, não vale de nada. Preste atenção no que você vai postar, na legenda que irá escrever, enfim, em tudo, porque, nas redes sociais os detalhes fazem toda a diferença.

A mesma regra vale para os seus *stories*, vídeos no Youtube e posts no Facebook. Lembre-se: se for fazer, faça com amor! As pessoas percebem e isso faz toda a diferença nas redes sociais.

FAÇA UMA ESTRATÉGIA

Conhecendo bem a audiência do perfil que irá trabalhar, defina abaixo quais os tipos de *stories*, *reels* e conteúdo para o *feed* que poderá fazer para atrair a sua audiência.

Capítulo 7

Ferramentas importantes

A tecnologia é uma grande aliada e facilita e muito a rotina do gestor de rede social. Atualmente, há inúmeros aplicativos que fazem com que o trabalho flua de maneira simples e rápida. Com eles, é possível criar artes para as redes sociais, organizar o fluxo de postagens e se manter em contato com a sua equipe.

Nas páginas seguintes, você vai conhecer aplicativos essenciais tanto para editar as suas fotos, como também para fazer posts criativos, além de aplicativos que vão ajudá-lo a ter uma rotina muito mais organizada e uma comunicação fluida e sem ruídos.

Dominar essas ferramentas será essencial para torná-lo um profissional completo e que entrega resultados. Lembre-se que o gestor de redes sociais é aquele que vai atrás, faz e acontece. Portanto, apresento as ferramentas, mas cabe a você desbravar cada uma e tirar o melhor proveito para a sua rotina como profissional.

Canva
(www.canva.com)

Ele é um aplicativo de arte muito completo, disponível tanto para desktop, como também para celular. Não substitui um designer, mas facilita a vida de quem ainda não trabalha com um e quer criar artes diferentes para o cliente.

No *Canva*, é possível fazer diversos tipos de arte. Basta acessar o site e no campo de busca, digitar o tipo de arte que deseja. Crie *stories*, posts para *feed*, anúncios, posts para Facebook, capas, vídeos animados, logotipos, tags e muito mais.

O mais legal do *Canva* é que é uma ferramenta intuitiva, portanto, mesmo que você não tenha experiência, vai conseguir mexer nele. O app possui templates prontos para você personalizar com as cores e fontes do seu cliente, para posts atrativos e que façam os seguidores engajarem. A plataforma ainda conta com um banco de imagem gigantesco, com fotos gratuitas para usar nos mais variados tipos de conteúdo.

Por exemplo, se você deseja criar uma paleta de cores com base em uma imagem, você consegue. Ao subir a imagem na ferramenta, ela já fala as cores semelhantes que estão presentes nela. Claro que com o seu cliente você precisará fazer uma análise de *branding* para chegar nas cores ideais, mas, para essa tarefa ficar mais simples, você pode pedir imagens que representem a identidade visual dele.

Todas as artes feitas no *Canva* são organizadas na aba "Seus designs", mas também é possível criar pastas e organizar cada cliente em uma, o que facilita o seu dia a dia.

E sabe o que é melhor de tudo? É possível optar por usar o *Canva* na versão paga ou gratuita. Na gratuita, você já consegue desenvolver muitas artes, a diferença é que, na versão paga, você tem mais imagens disponíveis, ícones e elementos. Vale avaliar o que faz mais sentido para você neste momento.

> **Explore *Canva*!**
> A tarefa é criar uma conta no *Canva* e mexer até conseguir criar, pelo menos, um tipo de post. E aí, você aceita o desafio?

Trello
(https://trello.com)

É uma ferramenta muito útil de gestão de projetos e equipes. O mais legal dele é que é visual, então todos podem se organizar de maneira simples.

Com o *Trello*, você consegue fazer um calendário de conteúdos, gerir seus projetos e se organizar com a equipe. Ele mantém todo o seu conteúdo organizado em um local só e vocês conseguem ir se comunicando, além de acompanharem todas as etapas, desde a ideia, até a criação, aprovação e ajustes.

Nessa ferramenta, você consegue deixar as listas de tarefas visíveis e organizar a aprovação do conteúdo, deixando mensagens e etiquetas para os outros membros da equipe.

O *Trello*, além de útil, é gratuito. Para fazer parte dele, basta criar uma conta com o seu e-mail e convidar as pessoas para o quadro que deseja.

**Asana
(https://asana.com)**

Também é uma ferramenta de gestão de projetos. Seu formato é bem parecido com o *Trello*, porém, ela possui funcionalidades diferentes e muito úteis.

No *Asana*, você pode observar apenas as suas tarefas. Além disso, você tem um controle do todo, consegue ver portfólios, acompanhar se o time bateu metas, criar um e-mail para conversar com a equipe, entre outros. É uma ferramenta muito interessante, principalmente para times maiores.

Agora é com você! Faça seu cadastro nos aplicativos de gestão e teste para descobrir o que funciona melhor para o seu trabalho.

Aplicativos essenciais

Um bom gestor de redes sociais precisa ter o celular recheado de aplicativos para exercitar a sua criatividade e surpreender nos posts. Para ajudá-lo, revelamos alguns que são muito úteis para a rotina.

Typorama: esse aplicativo permite que você acrescente textos em fotos e *stories*. Além disso, é possível colocar filtros nas imagens, bem semelhante ao *Canva*. Está disponível para Android e iOS.

Instaspacer: sabe quando você precisa fazer um textão na rede social, mas deseja espaçar as linhas? Esse aplicativo permite isso. Disponível para Android e iOS.

Magic Eraser: disponível para Android e iOS, esse aplicativo permite que você edite os fundos das fotos para criar posts profissionais.

Mojo: quer surpreender com *stories* diferentes e animados? Aposte nele! Disponível para Android e iOS.

Afterlight: aplicativo para edição de fotos com grande variedade de filtros. Disponível para Android e iOS.

PicsArt: com ele, você pode editar imagens, tirar manchas, fazer recortes, tudo de maneira simples, mas com aspecto profissional. Disponível para Android e iOS.

Over: editor de fotos profissional, muito parecido com o *PicsArt*. Possui versão gratuita e está disponível para Android e iOS.

VSCO: para quem não é fã do *Lightroom*, o editor profissional de fotos, ele é a pedida ideal. É possível clarear, incluir filtros e deixar a foto da maneira que desejar. Está disponível para iOS e Android.

Everbloom: o antigo app *Strucc*, é perfeito para quem deseja fazer *stories* diferentes e com *layouts* produzidos. Disponível apenas para iOS.

Storyluxe: disponível apenas para iOS, esse app é ótimo para fazer *stories* diferentes e animados.

Giphy: essa biblioteca é ótima para encontrar diferentes *gifs* para posts divertidos.

Capítulo 8

Otimize seu tempo

Para conseguir atender mais e melhor os seus clientes, é preciso ter uma rotina organizada e com o tempo otimizado. É mais do que necessário saber como planejar e alinhar com o cliente a criação de conteúdo para cada rede social, como Instagram, Facebook e YouTube.

Se você precisa dessa ajuda na hora de se organizar e fazer o seu tempo render entre os seus clientes, apresento boas ideias para você.

Nas páginas seguintes, dou dicas para você otimizar o seu tempo da melhor forma, sem ter de ficar 24 horas por dia trabalhando. Além disso, você vai aprender como criar calendários editoriais para cada rede social, roteiros para vídeos e também vai conferir truques para fazer gravações ainda melhores.

Transforme uma hora em um mês de conteúdo

Se você leu o título, certamente ficou curioso e se perguntando: "Mas como assim?". E não, esse título não foi apenas para chamar a sua atenção, é uma afirmação real, pois é possível criar um mês de conteúdo com uma hora de gravação do seu cliente.

Há dois tipos de clientes no dia a dia de um gestor de redes sociais: o cliente que quer fazer acontecer, mas não consegue otimizar o tempo dele para criar conteúdo. E se isso acontece, você está em um bom caminho; e há outro tipo de cliente, que parece não ter vontade de colaborar – nesse caso, analise se vale a pena continuar com ele.

Se você tem o primeiro tipo de cliente, precisa otimizar o tempo dele para a produção de conteúdo. E como fazer isso? Pergunte como é o dia a dia dele. Ele faz mentorias? Reuniões? Palestras? Isso é importante, porque, muitas vezes, ele já gera conteúdo, só que ele não é gravado.

Uma boa ideia é alinhar com o cliente e contratar um *videomaker* (com o aval dele, claro!) para filmar uma mentoria ou reunião, ou deixar a câmera parada em um tripé. Esse tipo de conteúdo tem três benefícios: o primeiro é que ele será espontâneo, porque, por mais que o cliente fique tímido no começo, aos poucos, ele vai se soltar e focar só em quem está com ele; já o segundo é que será um conteúdo genuíno, pois ele estará focado em ajudar a pessoa que estará ali, interagindo com ele; e terceiro, terá provas sociais, porque é comum que a pessoa com quem ele estará falando dê feedbacks sobre os conselhos e dicas.

O segredo está em otimizar o tempo do cliente e, se ele não consegue fazer isso para gerar conteúdo, cabe a você ajudá-lo. Se esse tempo for otimizado, com uma hora de gravação, é possível gerar conteúdo para 30 dias ou até mais.

Otimizando o tempo

Há outras maneiras de otimizar o tempo do cliente, principalmente, se ele não fizer mentorias ou reuniões. A dica aqui é organizar um dia para criar roteiros para vários tipos de conteúdo. Alinhe com o seu cliente uma boa data e converse com ele sobre a possibilidade de contratar um *videomaker*. Se for possível, ótimo, você e o *videomaker* passarão um dia com o cliente gerando conteúdo. Agora, se você mora em outro Estado e não poderá estar presente, o *videomaker* já terá o roteiro e o seu cliente também, e assim, à distância, você vai dando coordenadas.

O importante aqui é que você tenha em mente que é um gerente, portanto, é necessário se organizar e alinhar todos os pontos com o *videomaker* e o cliente, para que esse dia seja produtivo e vocês não percam a diária do profissional.

Por exemplo, em um dia de gravação, se o seu cliente vai gravar um podcast de uma hora, você possui vários conteúdos. Você pode transmitir essa gravação em uma live, pode fazer vários posts com frases marcantes, vídeos *Nutella* (vídeos curtos com pedaços interessantes do conteúdo), pode colocar esse vídeo completo no YouTube, transcrever o conteúdo para fazer listas com 3 dicas e muitas outras possibilidades.

Com o tempo, você vai conseguindo otimizar melhor os conteúdos do cliente e, cada vez mais, terá ideias diferentes. Criar conteúdo é um exercício diário e, com a experiência, você vai ficando cada vez melhor!

Como criar roteiros de vídeos

Agora que você já sabe que criar bons roteiros é um dos grandes segredos para otimizar o tempo do seu cliente, veja mais dicas!

Para criar bons roteiros e otimizar o seu tempo, você precisa ter afinidade com o conteúdo do seu cliente. É por isso que é tão importante estudar sobre ele e acompanhar tudo o que faz, como lives e vídeos. Além de consumir o conteúdo para saber mais sobre ele, também é importante acompanhar esses conteúdos até para dar dicas de melhorias para o cliente.

Uma boa dica é que você pode criar os seus roteiros no *Trello* do cliente, assim toda a equipe pode acompanhar e ajudar com ideias.

Quer entender melhor tudo o que precisa estar no roteiro? Veja abaixo!

Tema do vídeo: comece incluindo o tema do vídeo que será feito.

Apresentação: crie uma apresentação objetiva, para que o cliente diga logo no início qual a solução que ele oferece no vídeo.

Call to action: logo após a apresentação, você pode incluir um "antes de começar o vídeo, deixe seu like aqui no canal". Depois, inclua uma *CTA* no meio do vídeo "E aí, já se inscreveu no canal para conferir mais conteúdos como este?". Não coloque todos os *CTAs* juntos, porque, quando você fala todos de uma vez, pode deixar a audiência confusa, então vá dividindo pelo vídeo e identificando para o cliente no roteiro.

Conteúdo: divida o conteúdo que será abordado em tópicos objetivos.

Conclusão e despedida: aqui é hora de amarrar todo o conteúdo para finalizar o vídeo e se despedir. Vale incluir mais uma *CTA* ao final.

Calendário de conteúdo

Uma das principais características do gestor de redes sociais é a organização. E para ter um conteúdo organizado, é preciso saber como fazer um calendário de conteúdos. A boa notícia é que há duas formas de fazer o seu:

Usando o *Trello*

Como já dito nas páginas anteriores, o *Trello* é uma ferramenta de gerenciamento de projetos. Nele, você pode fazer um quadro de conteúdo, onde você sabe tudo o que tem pronto, pode incluir suas ideias, posts que faltam arte e até os que estão ok para aprovação. Com o *Trello* organizado, convide o seu cliente para que ele consiga acompanhar os conteúdos, aprovar, deixar comentários ou pedir alterações.

Calendário do Google

Também é uma opção muito útil para o dia a dia do gestor de

redes sociais. É possível convidar uma pessoa, basta ir em agenda, configurações e compartilhamento. Ele irá gerar um link para você compartilhar ou enviará um e-mail com um convite para o cliente.

Feito isso, você pode colocar o tema, a legenda em descrições, adicionar o arquivo anexo e até informar para o cliente a data em que deseja postar.

Isso vai muito de cliente para cliente. Se ele desejar saber a data que cada conteúdo será postado, é uma ótima pedida, caso contrário, o *Trello* pode ser interessante.

Não se adiante demais!

É muito bom trabalhar os conteúdos com certa antecedência, só tome cuidado para não exagerar. Na Internet, tudo muda muito rápido! Trabalhe com uma ou duas semanas de antecedência, no máximo, porque, dessa forma, você consegue sentir o que a audiência está querendo e oferecer um conteúdo quente, e também ter a aprovação do cliente sem enviar muito em cima da hora.

Programação de conteúdo: Instagram

Já se foi o tempo em que, para se ter uma publicação agendada no Facebook ou Instagram, você precisava pagar por uma plataforma. Atualmente, o próprio Facebook disponibiliza o Estúdio de Criação.

Para agendar suas publicações é muito fácil, basta acessar o site (https://www.facebook.com/formedia/solutions/creator-studio) e fazer o login na conta que deseja agendar os posts.

A ferramenta dá opções de agendar publicações tanto para o Facebook, como também para o Instagram, bastando selecionar o que deseja. Entre os formatos permitidos para agendamento estão o post no feed, vídeo de até um minuto e postagens no estilo carrossel. O único formato que ele não permite agendamento é o *stories*.

Sempre que for subir uma publicação, você pode incluir legenda, localização e, pronto, aí é só selecionar a data que deseja agendar e o horário. Uma dica é colocar um despertador no celular para conferir se o post realmente subiu na data e horário agendado.

Programação de conteúdo: Youtube

Assim como o Facebook, o Youtube também permite que você agende os vídeos na plataforma. E é muito simples! Você precisa apenas acessar o seu canal, fazer *upload* de um vídeo (vale lembrar que o arquivo do vídeo deve ter como nome o tema dele, pois isso ajuda no rankeamento. Falarei sobre isso mais a frente), e preencher todos os campos. Quando estiver chegando ao final, você vai encontrar a opção de programar, e é só colocar a data e horário que deseja.

Para o Youtube, é possível criar conteúdos com mais antecedência e deixar até um mês agendado.

Capítulo 9

Estratégias de engajamento

Se tem algo que todo mundo que está nas redes sociais quer, é engajamento! Ele representa a quantidade de ações que as pessoas têm com o seu conteúdo, seja comentários, curtidas, salvamentos, mensagens diretas ou compartilhamentos.

É o engajamento que mostra se o seu perfil está saudável e se as suas estratégias estão dando certo. Porém, não é uma tarefa das mais fáceis ter engajamento do público. Atualmente, um perfil concorre com muitos outros, então, para se desenvolver, precisa de conteúdo de qualidade e das estratégias certas.

Para ajudá-lo a aumentar o engajamento dos seus clientes (ou o seu!), nas páginas seguintes, revelo os principais problemas dos posts que não engajam e indico estratégias eficazes para fazer o seu perfil bombar e transformar seguidores em fãs da sua marca.

Aumente seu engajamento

Se a palavra "estratégia" o assusta, calma, mostrarei aqui que ela não é tão complexa quanto parece. Estratégias são ações que, ao serem executadas, o ajudam a conquistar objetivos, e essas ações podem ser desde um simples *CTA* até algo maior, como o lançamento de um *e-book*, infoproduto ou uma recompensa.

No entanto, é importante que você saiba que uma estratégia não vale de nada, se ela não for colocada em prática. Jamais engesse as suas, você precisa estar com a mente aberta para poder testá-las.

Para conquistar engajamento no Instagram, você vai aprender estratégias diferentes, mas que podem ser modificadas de acordo com o seu nicho ou público.

Entenda as métricas

Antes de descobrir quais estratégias vão ajudá-lo a crescer nas redes sociais, é necessário que você saiba o que significa cada termo usado nas métricas. Confira!

Alcance: é uma estimativa dentro da rede social de quantas pessoas únicas receberam e visualizaram o seu conteúdo.

Impressão: é a quantidade de vezes que as pessoas viram o seu conteúdo. Ou seja, se uma pessoa ver o post mais de uma vez, todas serão contabilizadas.

Engajamento: é o envolvimento que as pessoas têm com uma publicação. Ele é seu relacionamento com o público e pode ser representado através de likes, comentários, *directs* e salvamentos.

Métricas de conteúdo

É essencial saber analisá-las para poder guiar as suas estratégias de conteúdo nas redes sociais. Porém, ao analisar as métricas, não fique parado apenas nelas, lembre-se que o comportamento das pessoas é o mais importante.

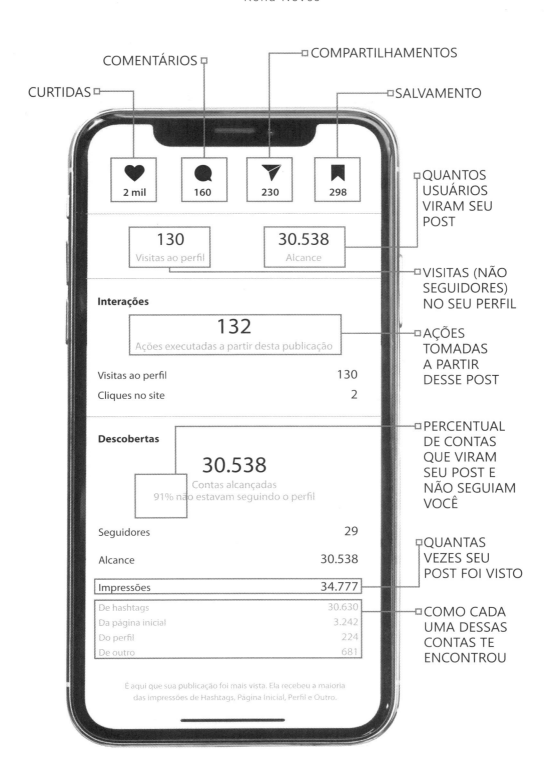

Para chegar até às métricas, vá até as informações do seu perfil e, pronto, o Instagram trará dados sobre todas as suas publicações. Na maioria das métricas existe sempre um "i", de informação geral, que funciona como uma legenda explicando cada função.

Dentro dessas métricas, você consegue saber o quanto criou de conteúdo e se foi mais ou menos do que na última semana. Já as publicações, aparecem ordenadas de acordo com os posts que tiveram maior alcance até aqueles que tiveram menor visibilidade. É possível também dividir por tipo de publicação, fotos, vídeos e *stories*.

Outra funcionalidade interessante nas métricas é que você pode selecionar o período que deseja analisar: nos últimos 7 dias, 30 dias ou o último ano. E também existem opções do que você pode analisar: alcance, cliques no site (que é o link da sua bio), interações, quantos seguidores ganhou com a publicação, quantidade de comentários, curtidas, salvamentos e compartilhamentos.

Uma outra questão interessante na análise é que você conseguirá descobrir quais foram os posts que as pessoas mais se envolveram para poder trazer outras vezes ou observar o que fez as pessoas se envolverem naquele post para apostar em ideias semelhantes. Com uma análise minuciosa, é possível saber quais conteúdos estão em cada etapa do funil, ou seja, quais atraem pessoas, quais são aqueles de valor e quais fazem com que você ganhe seguidores.

Métricas de público

Para acessar essa parte, você vai até "informações" e clique em "seu público". Essa análise permite que você veja quantas pessoas chegaram ao seu perfil, de onde a maioria dessas pessoas são, a idade média que elas têm, e o gênero, se são mulheres ou homens.

Lembrando que o público que o segue não necessariamente é a sua persona, ok? O fato de a pessoa seguir, não quer dizer que ela interaja ou não com o seu conteúdo, por isso é tão importante analisar o comportamento dos seguidores.

Na aba informações, você vai ter acesso a quantos seguidores ganhou, perdeu e qual o seu número total. Muitas pessoas seguem e deixam de seguir, não se frustre com isso, pois o importante é sempre ganhar mais seguidores do que perder.

Outra informação interessante é o tempo médio que os seus seguidores passam na rede social e também os dias em que eles estão mais presentes. Ou seja, é possível analisar quais são os dias e horários mais fortes para publicar os seus conteúdos.

Métricas por post

Além de analisar o painel geral, também é possível conferir as métricas de cada post. Basta clicar nele e ir até em "ver informações", que abrirá uma página com todos os dados sobre como determinada publicação performou. É só arrastar com o dedo para cima para conferir todas elas.

Dentro dessas métricas, você pode conferir o número de curtidas, comentários, compartilhamento e salvamento. Além disso, é possível saber quantas pessoas visitaram o seu perfil por essa publicação, qual foi o alcance dele, as impressões, se houve cliques no site da bio, se você ganhou seguidores e de onde as pessoas vieram (se foi do explorar, do seu perfil ou de outro que possa ter compartilhado a sua publicação).

Para que você entenda melhor o que significa cada métrica, vamos explicá-las um pouco mais. As curtidas são legais, mas não são tão relevantes como já foram um dia, o envolvimento é mais importante. O algoritmo percebe o tempo que você passou vendo um post, assistindo a um vídeo e interagindo. Isso é interessante, porque ele percebe que o post pode ser bacana e começa a mostrar mais conteúdos para as pessoas. Já os comentários mostram que a sua audiência está envolvida com o seu conteúdo.

Os compartilhamentos funcionam como o famoso "boca a boca", pois a pessoa gostou tanto do conteúdo, que divulgou para outras pessoas também. É uma ótima forma para ajudá-lo a crescer na

Internet, pois pode despertar o interesse das pessoas que seguem essa pessoa que compartilhou. E, por fim, os salvamentos, que são muito importantes, pois mostram que o seu conteúdo é tão bom e relevante que as pessoas querem guardar para consumir de novo. É uma métrica valorizada, já que o algoritmo considera bastante e alavanca o seu alcance.

Os cliques no site revelam que a pessoa clicou no post, no seu nome de perfil e no site que está na bio. Ou seja, o seu conteúdo e o seu perfil estão muito atrativos.

As impressões totais representam quantas vezes as pessoas viram a sua publicação vindas de vários lugares, como de outros perfis, da sua página inicial ou do explorar, aliás, ir para o explorar é uma ótima vitrine, porque é uma boa oportunidade de as pessoas que jamais conheceriam você, terem acesso ao seu perfil.

Vale lembrar que as métricas dos posts são realmente muito importantes, mas vale também analisar o comportamento das pessoas. Esses comentários são positivos ou negativos? São críticas ou sugestões? Tudo depende muito. Nas redes sociais, não falamos sobre números somente, mas, sim, de conteúdo de valor e sobre as pessoas que são impactadas por ele.

Desvendando o algoritmo

Antes de apostar em estratégias, é preciso que você entenda que a base de qualquer rede social é o relacionamento. As pessoas estão lá para dar risada, se relacionar, conversar ou ser parte de uma comunidade. Ao entender isso, é natural que você crie conteúdos que tenham um melhor engajamento.

E como funciona o algoritmo do Instagram? Ele é um tipo de analista de comportamento. Por exemplo, quando você está rolando o *feed* e para em um post, seja para ler uma legenda ou consumir o conteúdo em forma de carrossel, ele percebe que você parou alguns segundos ali, ou seja, aquele conteúdo é relevante para você e conquistou a sua atenção. Ao perceber isso, o Instagram começa a entregar mais conteúdos desse perfil.

Quando as pessoas passam mais tempo nos seus posts, é natural que você tenha um aumento no engajamento, pois o Instagram entende que seu conteúdo é bom e vai entregando cada dia para mais usuários.

Vale lembrar que a intenção de toda rede social é fazer com que as pessoas passem mais tempo navegando por ela, então se você "ajudá-la" oferecendo conteúdo e entretendo o seu público, ela irá ajudar também aumentando o seu alcance e as suas impressões.

Apenas tome cuidado para não se iludir com números, como 10 comentários, por exemplo. Às vezes, a mesma publicação teve 100 salvamentos, que é uma métrica muito mais importante para o seu engajamento (mas falarei sobre isso nas páginas seguintes).

Identificando problemas de engajamento

Um bom gestor de redes sociais precisa identificar problemas de engajamento do seu cliente. Para ajudá-lo, abaixo, apresento os principais.

Relacionamento

É muito comum as pessoas acharem que precisam gerar conteúdos, postarem bastante, mas se esquecerem do principal, que é se relacionar com a audiência. Como disse anteriormente, as pessoas estão nas redes sociais para interagirem umas com as outras.

Quando você não conversa com o público, não fala sobre você e não mostra mais sobre quem é, elas não se conectam. E o relacionamento e a conexão andam lado a lado.

O segredo das redes sociais está em saber analisar o comportamento do público. Acredite, cada ação (ou a falta dela), diz alguma coisa sobre o seu conteúdo.

Falta de energia

Parece bobeira, mas pessoas com a energia baixa, que falam para dentro, não geram conexão com a audiência. Os seguidores gostam de acompanhar pessoas alegres e dispostas a falar. Provoque a sua audiência, mantenha a energia lá no alto e mostre que tem interesse pela pessoa que está do outro lado.

Falta de solicitações de ação

Quanto de *CTA* você utiliza nos seus conteúdos? Peça para as pessoas comentarem, darem like, contarem situações parecidas, ou seja, chame-as para a ação!

Se você não pedir, as pessoas não vão realizar determinada ação, portanto, use mais desse recurso para que a audiência engaje. Nas páginas seguintes, abordo um conteúdo focado só na importância do *CTA*.

Não tocar na dor e nem dar soluções

É importante que com o seu conteúdo você cure as dores dentro do seu nicho. Será que você tem aproveitado as oportunidades? Ou anda postando conteúdos que não estão interessando a sua audiência no momento? Pense sobre isso!

Perfil banido

Como já falei anteriormente, o perfil pode estar banido, por isso, a falta de alcance e engajamento. Para virar o jogo, exclua todas as hashtags do seus posts, arrume a casa, organize a bio e os destaques. Se tiver seguidores suspeitos, exclua (mas tome cuidado para fazer isso de pouco em pouco. Caso contrário, o Instagram pode achar que você está usando de automação). Depois, fique três dias sem entrar na rede social e, quando voltar, gere conteúdo de valor todos os dias.

Como crescer nas redes sociais?

Talvez esse seja o momento que você mais estava esperando neste livro. Nas páginas seguintes, explicarei um método com três passos simples, para colocar em prática o quanto antes, para você ou seu cliente crescer nas redes sociais.

No entanto, antes de seguir em frente, lembre-se que sempre é necessário trabalhar com transparência. Converse com o cliente e explique por que adotou determinada estratégia e como aquilo irá ajudá-lo. Será natural que ele questione o porquê de determinadas ações e cabe a você explicar para que ele fique tranquilo e confiante. Vocês precisam estar alinhados e com os mesmos propósitos sempre, combinado?

Gere conversas

Ao criar conteúdo para as redes sociais, pense sempre que há pessoas do outro lado acompanhando você, não apenas uma câmera ou celular. Uma conversa é diferente de uma leitura ou até mesmo de uma aula. Seus vídeos ou *stories* precisam ser naturais e espontâneos para que as pessoas se identifiquem e se conectem com você e com o que tem a dizer.

A mesma regra funciona também para textos e legendas. Considere que há pessoas lendo, que estão conversando com você. E é desse texto fluido e leve que surgem os comentários. Se você só quer que as pessoas leiam, elas irão ler, mas, se quiser gerar conexão, aposte em conversas e relacionamento. Entender isso é um passo muito importante para o seu crescimento nas redes sociais.

Método CIA

Pronto para conhecer esse método simples e com apenas três passos? Colocando em prática, já será possível crescer nas redes sociais! Siga em frente e comprove os resultados.

Constância

As redes sociais funcionam como um jogo de frequência. Busque organizar o seu calendário de conteúdo para conseguir postar sempre. Afinal, quanto mais você é visto, mais será lembrado. E quanto mais criar conteúdo, mais simples entenderá onde está errando, pois a tentativa e o erro levam ao aprendizado.

Interesse

O mundo é baseado em interesses, então o conteúdo do seu cliente também precisa ser interessante. Como você irá despertar o interesse da audiência? Quando você entender a importância de ser interessante e conseguir se sobressair.

Uma boa dica é anotar as qualidades e os diferenciais de seu cliente e entender a fundo quais dores do público ele soluciona. Assim, você conseguirá trabalhar o diferencial dele e torná-lo mais interessante.

Autoridade

É muito importante ser uma autoridade na sua área de atuação. Quanto mais você criar conteúdo, mais desenvolverá esse lado de criar coisas novas.

Crie posts autorais, métodos e passo a passos, dando nomes para eles e apresentando-os para o cliente. Mostre os microrresultados de cada um para ter provas sociais do seu trabalho. Lembre-se que quanto mais for autoral, mais se destacará no mercado. E quem se destaca, trabalha melhor e pode cobrar mais.

Como aumentar o engajamento nos Stories

Sim, é possível sair da caixa e se diferenciar nos *stories* para conquistar mais visualizações e engajamento. Lembre-se que quanto mais testar, mais surgirão novas ideias e formas de fazer *stories*. Portanto, aproveite e coloque em prática as dicas que apresento para você!

Coloque legendas

Sempre que fizer conteúdo nos *stories*, opte por colocar legendas para que as pessoas que não estão assistindo com o áudio ou que estejam apenas "pulando" possam se interessar e voltar para ver o conteúdo. Não precisa legendar tudo o que disser, apenas tópicos para chamar atenção.

Use elementos do Instagram

Aposte nos elementos e nas ferramentas que os *stories* oferecem, como enquetes, caixa de perguntas e figurinhas. Além de fazer com que as pessoas engajem, isso também ajuda o algoritmo a vê-lo como constante.

Dê dicas sobre seu dia a dia

Faça (ou peça para seu cliente) *stories* dando dicas diferentes, como um filme ou série que assistiu ou um lugar novo que conheceu. As pessoas vão sentir a sua vontade em ajudá-las.

Promova desafios!

Use as ferramentas de enquete e caixa de perguntas para desafiar a sua audiência sobre conteúdos dentro do seu nicho. Isso fará com que a audiência interaja mais e você se posicione como autoridade.

Peça ajuda

Ao mesmo tempo em que você dá dicas, peça também para os seus seguidores. Isso estimulará a audiência a enviar mensagens por *direct*. As pessoas adoram se sentir úteis, então, vez ou outra, peça dicas de filmes, séries, lugares para comer... Não precisam ser dicas 100% focadas no seu nicho. Quanto mais você mostrar o seu dia a dia, conseguirá fazer com que as pessoas se conectem com você.

Explique como fazer algo

As pessoas adoram aproveitar o momento de entretenimento para aprender algo novo, principalmente, se for algum método seu ou coisas que você faz de maneira diferente. Ensine como fazer um tipo de post ou usar determinado produto. Use a criatividade!

Diversifique o seu conteúdo

Cuidado para não ter muitos *stories* sobre um só assunto e no mesmo local. Intercale vídeos falados com imagens e textos. E sempre que puder, faça *stories* em movimento ou em outros cenários. Deixe seu conteúdo dinâmico!

Mostre seu *lifestyle*

Quanto mais você mostra seus gostos, personalidade e habilidades, mais as pessoas conseguem se conectar com você. Portanto, use os *stories* para deixar o seu perfil "mais humano".

Saia do comum

Tente fazer coisas diferentes das que você faz. Eventualmente, poste e faça coisas fora da sua caixa e do seu nicho até mesmo para gerar conexão. Mostre o quão importante é se aventurar e se abrir para o novo.

Faça as pessoas voltarem *stories*

Isso ajuda a engajar e aumentar as visualizações. Por exemplo, você pode colocar uma letra em cada *story* e, ao final, abrir uma caixa de perguntas para as pessoas dizerem qual palavra elas formaram. Além de ser divertido, vai gerar um bom engajamento!

Observe o comportamento das pessoas

Você tem uma pessoa que admira na sua área? Faça uma análise sobre o seu comportamento e marque essa pessoa. Você também pode indicar perfis, fazer análises de filmes, séries, entre outros. Esse tipo de conteúdo costuma fazer sucesso!

Seja o primeiro nos *stories*

Você já parou para pensar que as pessoas com quem você mais interage no Instagram são as que aparecem primeiro na sua *timeline* de *stories*? Isso acontece, porque, quando você interage com ela, o algoritmo percebe que o conteúdo é interessante para você, então entrega mais o que ela posta.

No entanto, como fazer para ser essa primeira pessoa para a sua audiência? Existe uma estratégia que funciona muito, principalmente, com a possibilidade do uso do link nos stories . Aliás, essa funcionalidade está disponível para quem possui menos de 10 mil seguidores, o que até pouco tempo não era possível. O famoso "arrasta para cima" foi substituído pelo "clique no link" nos stories.

O segredo dessa estratégia está em oferecer recompensas para os seguidores. Ofereça um e-book, um pdf com dicas valiosas, uma planilha que solucione a dor da audiência, entre outras recompensas. Lembre-se que essa recompensa precisa fazer sentido com o seu conteúdo.

O primeiro passo será ter essa recompensa em mãos; já o segundo, será gravar *stories* falando que você criou essa recompensa para ajudar a sua audiência, mas que não é para todo mundo e só vai enviar para quem realmente chamar no *direct* e quiser. Para as pessoas que o chamarem, desenrole uma conversa, pergunte sobre as dores dela, como esse conteúdo vai ajudar, enfim, crie um relacionamento. O que acontece é que quanto mais mensagens vocês trocarem, o algoritmo vai detectar que a pessoa interage com o seu perfil e irá entregar seus conteúdos para ela. Além do mais, essa é uma ótima maneira de fazer pesquisas e entender sobre o comportamento da audiência.

Call to action

Chegamos em uma etapa muito importante para a criação de conteúdo. Porém, antes de seguirmos em frente, é preciso que você saiba a transformação que o seu cliente ou você gera para as pessoas que o seguem. Qual é a mudança que alguém que consome o seu conteúdo vai ter na vida? Além disso, é importante saber o objetivo do cliente, pois isso é a base para criar bons conteúdos e gerar engajamento. Se você já sabe tudo isso, pode seguir em frente. Caso contrário, volte algumas casas, pois essas informações serão essenciais a partir de agora.

O *call to action* é uma sigla em inglês, que traduzida de maneira livre para o português, significa "chamada para ação". É quando você pede para que o seguidor interaja e realize alguma ação no seu post. O *CTA* é importante, pois, se não pedir, não haverá uma ação em massa voluntariamente, isso é natural. Pode ser que uma ou duas pessoas comentem, salvem, mas, se você quer que muitas pessoas façam isso, precisa pedir.

Vale lembrar que as interações não estão apenas relacionadas a comentários, você pode pedir para os seguidores:

• Salvar um post; • Compartilhar nos *stories*; • Marcar um amigo; • Enviar para uma pessoa.

Uma boa dica é já começar um post com um *CTA*, que pode ser uma pergunta que induz que as pessoas interajam, ou um "já salve esse post", pois isso fará com que o seguidor de imediato bata o olho no seu conteúdo e realize uma ação.

CHEGOU A SUA VEZ!

Agora que você entendeu o que é *CTA*, escreva aqui algumas opções que podem ser utilizadas em seus posts.

Call to action nas lives

Quando uma pessoa faz lives, é preciso entender que não está falando sozinha. Por isso, a interação se faz necessária e os *CTAs* ajudam muito nisso. Ao interagir com o público, você tem comentários e gera engajamento durante a sua live.

Além de ter um bom conteúdo nessa transmissão ao vivo, o ideal é fazer pausas entre um tópico e outro e interagir com o uso de *CTAs*. Por exemplo: "Você está gostando dessa live? Comenta aqui"; "Você já viveu uma história parecida? Me conta"; "Manda um emoji sorrindo se você concorda"... Isso, além de engajamento, desperta a atenção das pessoas que adoram participar.

Há algumas ações que podem facilitar o seu engajamento com o público durante uma live. São elas:

• Use o gatilho da reciprocidade

Faça um *print* durante a live e poste no *feed* um pouco antes de terminar. Fale para o público: "Gente, fiquei aqui uma hora dando um conteúdo valioso, em troca, só peço que você vá até o meu último post sobre essa live e conte o que mais gostaram". Ou você pode usar o mesmo gatilho e pedir para que as pessoas definam em uma palavra o que a live significou para elas.

• Faça sorteios

Conte para o público que a live está chegando ao fim e que se a última foto sobre ela bater uma quantidade x de comentários, você vai sortear um *e-book*, uma agenda online, enfim, alguma coisa que faça sentido para o seu público e nicho.

• Use o gatilho da escassez

Ao final da live, fale: "Olha pode ser 5 ou 10 pessoas que comentarem no meu post, mas, daqui a 10 minutos, assim que acabar a live, vou fazer o sorteio de algo (dizer o produto)". Isso fará com que as pessoas tenham esse gatilho de "Nossa, se eu não comentar em 10 minutos, eu vou perder", o que aumentará o seu engajamento.

Estratégia de comunidade

É muito comum que a maioria das pessoas ao gerar um conteúdo foque no objetivo final que, muitas vezes, é uma venda. Mas o segredo das redes sociais é não vender com o seu conteúdo. Você vai se relacionar todos os dias com a sua audiência e a venda será uma consequência desse relacionamento.

As pessoas não estão nas redes sociais para comprar, mas, sim, para estar em comunidade. Quando você entende esse jogo, uma chave vira na cabeça para que crie conteúdos cada vez mais assertivos.

Como já citei anteriormente, entender o comportamento humano é essencial, pois é natural que as pessoas queiram estar umas com as outras e gostem de estar em comunidade. Quando você disponibiliza um conteúdo para que ela faça ações que outras pessoas ao redor dela não fazem, você desperta esse senso de comunidade.

Há duas formas de fazer com que as pessoas estejam e se sintam em uma comunidade, com o canal no Telegram ou um grupo no Facebook.

Canal no Telegram

Nesse tipo de mídia, você pode convidar as pessoas a fazerem parte e oferecer um conteúdo exclusivo e de bastidores. Isso faz com que eles se sintam privilegiados. Além do mais, você pode abrir para que eles comentem nos posts e interajam entre si.

Grupo no Facebook

É uma maneira de unir a sua audiência para que um ajude o outro e todos se desenvolvam juntos. É um espaço para que as pessoas tirem dúvidas, façam networking, criem relacionamentos, entre outras ações.

O poder das enquetes

As enquetes nos *stories* são poderosas para duas coisas: aumentar o engajamento e entender melhor sobre a sua audiência.

Antes de você entender mais sobre elas, lembre-se que toda estratégia deve ser conversada com o seu cliente. Sempre que for fazer algo novo no perfil dele, dê uma mentoria para que ela entenda o propósito disso. É importante que vocês caminhem na mesma direção e, para isso, ele precisa saber o que está sendo feito.

As enquetes são boas para engajamento, pois promovem uma ação fácil e rápida. É muito simples para as pessoas clicarem em sim ou não. E quanto mais pessoas responderem às suas enquetes, o algoritmo entenderá que aquele conteúdo é interessante e passa a distribuir mais.

Há vários tipos de enquetes e criá-las é bem simples. Acesse o Instagram e vá na parte de *stories*. Faça um vídeo ou texto e selecione a terceira opção – da direita para a esquerda – no canto superior direito da tela. Você pode escolher a enquete tradicional, incluindo uma pergunta e colocando "sim x não" como opção, ou pode escrever a resposta que deseja para estimular o público, como "quero x não quero", "amo x não curto"...

Outra maneira de aumentar o engajamento é por meio de testes com a audiência. Use a ferramenta de teste que possibilita incluir múltiplas escolhas. Também é possível fazer enquetes de nível de satisfação, basta escolher a ferramenta que é um termômetro a qual você desliza para o lado.

Tente variar e usar ao máximo as ferramentas que o Instagram disponibiliza. Lembre-se que quanto mais você fizer o uso delas e as pessoas interagirem com você, mais o algoritmo entenderá que seu conteúdo é bom e, consequentemente, aumentará a entrega.

Conteúdo assertivo

Para ter um conteúdo assertivo e que desperte a atenção das pessoas, seu cliente precisa entender que é importante aparecer nas redes sociais. E quando falo sobre aparecer, significa que é para ir além de fotos e textos, e também se conectar com o público em vídeo. É natural que o público prefira vídeos, porque o cérebro gasta mais energia para ler do que para consumir imagens.

Caso o seu cliente não entenda essa necessidade, chegou a hora de você explicar para ele. Faça uma mentoria para que ele entenda o porquê de gerar essa conexão.

As pessoas tendem a ver os conteúdos na rede social para se divertir, se relacionar e relaxar. Portanto, um conteúdo assertivo é aquele que provoca o interesse de quem está passando pelo feed. O uso de *CTAs*, legendas, imagens boas, enquetes, tudo isso é importante, mas, se o seu conteúdo não chamar atenção, não vai adiantar usar essas ferramentas.

Vale lembrar que a base do relacionamento é o olho no olho.

As pessoas verem você, ouvirem a sua voz, saber como você se comunica, acompanharem o seu *lifestyle* são ações que fazem com que se conectem com você. É por isso que os vídeos são tão importantes na sua estratégia de conteúdo.

Só tome cuidado ao criar vídeos para não usar termos muito técnicos e falar sem energia. É importante estar animado e ser claro com o público, falar de maneira técnica pode gerar distanciamento e, aqui, ensino o contrário!

Capítulo 10

Como crescer nas redes sociais

A sua expertise para criar conteúdos de valor já é vasta. Além disso, você já sabe sobre a real importância do relacionamento com o público, as estratégias de engajamento, as dicas fantásticas de como usar os *stories*, entre tantas outras atividades.

Neste capítulo, você vai entender mais a fundo como crescer no Instagram com um perfil saudável e constante, noções básicas para tirar do papel o sonho do canal no Youtube, além da necessidade de se ter uma comunidade também no Telegram.

Tudo aquilo que faltava para ter um *know how* que vai além do Instagram para gerar valor para o seu cliente e transformar seu público em verdadeiros fãs da sua marca, seja ela física ou digital. Siga em frente e estude todas as informações.

O segredo para crescer na Internet

Se você chegou até aqui, já sabe que não existe fórmula mágica para o crescimento nas redes sociais, mas, sim, muito trabalho, estratégias definidas e criação de conteúdo constante.

É importante que você execute tudo o que aprendeu aqui e analise criteriosamente o comportamento das pessoas nas redes sociais para aprimorar as suas estratégias.

Nas páginas seguintes, revelo informações que vão auxiliar no seu crescimento, mas é importante que tenha em mente que você não vai ganhar dinheiro com a Internet, ela por si só não paga ninguém. É comum ver pessoas com milhares de seguidores que não ganham um centavo com o seu Instagram ou canal no Youtube, pois o que faz a diferença mesmo é ter estratégia. É isso que faz você ganhar dinheiro e ter uma carreira promissora na Internet.

Antes de seguir em frente, mude a sua chave de consumidor para fornecedor de conteúdo. É comum que no meio do caminho você encontre dificuldades, em outros momentos fique estagnado, mas, se você deseja obter sucesso, não pode desistir.

Acredite no seu potencial e não desista até conseguir. Se for preciso, mude a rota, mas persista! Mesmo que você erre, ao colocar as estratégias em prática, você demonstra o quão comprometido está com os seus objetivos. Na carreira de gestor de redes sociais, o segredo para o sucesso é jamais parar de testar e estudar. Faça até ficar bom nisso e prospere!

Rede social de sucesso

Abaixo apresento alguns tópicos que farão a diferença na hora de colocar as suas estratégias em prática.

1) Tenha claro os objetivos do cliente

Por que ele resolveu entrar para as redes sociais? Por que ele vai gerar conteúdo? O que deseja com isso?

É comum que no início ele não tenha esses caminhos muito definidos e tenha dúvidas de onde quer chegar, e cabe a você ajudá-lo. Se ele quer aumentar as vendas, por exemplo, você não é responsável por elas, mas, sim, pelas pessoas que entrarão em contato interessadas nos produtos a partir dos conteúdos que viram nas redes sociais. Uma coisa é consequência da outra.

Defina metas, datas e onde o cliente quer chegar. Isso é importante tanto para ele, como também para você.

2) Tenha o conteúdo bem-definido

Caminhe sempre de acordo com as linhas editoriais do cliente. *Lifestyle* é importante para gerar conexão, mas o cliente não pode desconversar demais do conteúdo dele. Tome cuidado para não confundir a audiência, isso vale tanto para o cliente, como também para o gestor das redes sociais.

3) Saiba quem é a sua persona

Faça estudos para descobrir a sua pessoa ideal. Quando você sabe quem ela é, seus hábitos, sonhos e dificuldades, as chances de criar um conteúdo assertivo e que tenha engajamento, aumentam muito.

4) Naturalidade é tudo!

Independentemente da rede social que o cliente irá trabalhar, ele precisa ser natural, tanto nos textos dos posts, como nos vídeos e *stories*. É isso que gera a conexão com a audiência. As pessoas precisam se identificar com pessoas como elas e, quando algo não é verdadeiro, elas percebem rapidamente!

5) Seja intencional

Todas as suas estratégias precisam ter um objetivo e levar a algum lugar. Você e o cliente precisam entender do que estão falando para serem assertivos e falarem da maneira correta, no momento certo.

Como crescer no Instagram

Sim, há alguns padrões de comportamento definidos nas pessoas que crescem e se desenvolvem no Instagram. A seguir, você vai entender quais são as bases de estratégia dessas pessoas. Inspire-se e coloque em prática!

Relacionamento

Como já disse anteriormente, as pessoas estão nas redes sociais para se relacionarem. Explique isso para o seu cliente, mostre que não é sobre ele, mas sobre outras pessoas. Uma boa dica é ele testar falar em frente às câmeras para ser o mais natural possível, saber responder e interagir com a audiência.

Quando uma pessoa se relaciona com as outras, é mais fácil ser assertivo nos conteúdos. Analisar os comentários em *lives*, posts e vídeos ajuda muito a criar estratégias de conteúdo eficazes.

Análise de comportamento

Comece a analisar perfis, tanto o seu, como também o dos outros. Quando você analisa porque as pessoas comentaram de um jeito e não de outro, ou quais posts funcionaram, começa a perceber o que foi estratégico, se foi intencional e consegue colocar em prática também no seu perfil. Treine esse olhar crítico.

Interação por emoção

O que faz as pessoas interagirem nas redes sociais é a emoção que você desperta nelas com determinado conteúdo. Você pode fazê-la sentir raiva, alegria ou humor. Por exemplo, *selfie* traz confiança, vídeos que trazem uma causa faz com que as pessoas queiram se engajar, concordem, discordem e compartilhem.

Constância no conteúdo

O Instagram é uma rede social instantânea. O alcance é baixo para quem é usuário, então quanto mais você postar e as pessoas interagirem, maiores serão as chances de ser visto. Esqueça aquela coisa de postar apenas três vezes na semana e fazer dois *stories* por dia. No Instagram, quem não é visto, não é lembrado. Se você não gera conteúdo constante, o Instagram não aumenta o seu alcance e seu perfil não cresce.

Autoralidade

Todo mundo tem frases, brincadeiras, enfim, coisas que só ele fala. Tente descobrir isso no seu cliente. Use frases que só ele fala para ser a sua marca, suas brincadeirinhas, entre outras peculiaridades. Comece a provocar a audiência e deixe bem claro o posicionamento dele. Quanto mais autoral o seu conteúdo for, maior será o interesse das pessoas.

Naturalidade

É comum que percamos essa naturalidade em frente às câmeras, mas quanto mais vídeos o cliente fizer, isso se tornará comum para ele. Não fique ensaiando muito, mostre o agora e como realmente ele é, porque as pessoas gostam de verdade.

Entendendo o Youtube

Se você prefere uma rede social mais consolidada e que o seu conteúdo tenha uma durabilidade maior, o Youtube é uma ótima escolha. Entenda como o algoritmo funciona para adaptar as suas estratégias de conteúdo!

Ao contrário do Instagram, o Youtube é uma rede social que traz um alcance bom para os usuários, além da durabilidade maior do seu conteúdo. No Instagram, as pessoas conseguem interagir com um conteúdo por cerca de 24 a 48 horas após a sua postagem, já no Youtube, quanto mais você gera conteúdo, tem um alcance melhor. Por exemplo, se alguém pesquisa algo relacionado a um conteúdo que você postou há dois anos e seu vídeo está bem ranqueado, ele ainda aparecerá.

Para o Youtube, é possível criar conteúdos educacionais, de como fazer e também interativos, pois as pessoas entram no site realmente para consumir conteúdo.

Analise bem suas estratégias, pois, quanto mais intencional você for nos temas e na descrição dos vídeos, mais o Youtube entregará o seu conteúdo. Quando você cria uma descrição que define o que a pessoa encontrará no seu vídeo, o algoritmo entende o seu conteúdo e entrega para mais pessoas.

Outra ótima dica para incluir nas suas estratégias é ser pontual e sempre postar nos mesmos dias e horários. Assim você deixa o algoritmo saber seus hábitos e ele ajuda a entregar os vídeos para as pessoas.

Uma tendência é que o Youtube aumente o alcance de quem produz vídeos todos os dias. Veja se para o seu cliente é interessante produzir tantos vídeos e, se for, inclua na sua estratégia.

Roteiro básico para Youtube

Vale produzir vídeos diferentes para o canal do seu cliente para testar outros formatos, mas existe um tipo de roteiro básico que pode guiá-lo nesse início!

• Valorize os primeiros 10 segundos de vídeo! Eles farão com que a pessoa decida seguir assistindo, portanto, seja intencional. Fale o que as pessoas vão encontrar ali.

• Inclua uma vinheta.

• Faça uma abertura. Comece se apresentando, fale os dias em que saem vídeos novos no canal e peça para se inscreverem para conferirem mais conteúdos como esse. Depois disso, siga para o tema do vídeo.

• Tente explorar temas em listas, como "3 dicas", "5 passos", entre outros títulos atraentes. Esse tipo de vídeo é ótimo para prender a atenção do público.

• Após duas dicas, você pode fazer um *CTA* para as pessoas que estiverem gostando darem um *like* no vídeo.

• Depois de mais algumas dicas, você pode fazer outro *CTA* perguntando se as pessoas se identificam ou para comentarem o que estão achando.

• Ao final do vídeo, você pode fazer outro *CTA* falando do seu perfil no Instagram, pedir para segui-lo e se despedir.

Lembre-se que esse roteiro é apenas um exemplo para guiar os seus primeiros vídeos. Vale a pena testar com o seu cliente para analisar quais estratégias funcionam melhor. Além dos vídeos com numerais, *vlog*, passo a passo, *podcasts*... Tudo vale a tentativa.

Vale a pena usar o Telegram?

O Telegram é um aplicativo russo que se tornou um dos queridinhos de quem deseja colocar a estratégia de comunidade em prática. Ele é um programa de mensagens instantâneas gratuito que possibilita o envio de conteúdos pesados, como vídeos, pdfs e áudios.

É interessante ter um Telegram, pois, quanto mais tiver redes sociais ativas, mais locais terá para as pessoas consumirem o seu conteúdo. Caso alguma rede social dê problema, você tem como se comunicar com a sua audiência. Além disso, com um Telegram ativo, você consegue comunicar sobre novos conteúdos, convidar para *lives*, chamar as pessoas para interagirem, criar enquetes com múltipla escolha e muito mais.

O Telegram permite uma variedade grande de conteúdos, como textos, uso de gifs, envio de áudios no formato *podcast* ou até mesmo vídeos. Lembre-se sempre de focar na exclusividade de fazer parte desse grupo para despertar a estratégia de comunidade.

Uma boa dica é que é possível agendar uma mensagem. Por exemplo, você fará uma *live* em um determinado horário e quer chamar as pessoas? Basta segurar apertado o botão de enviar e optar pelo agendamento. Isso pode ser feito tanto através do desktop, como também do aplicativo para celular.

Criar o seu canal é bem simples, basta baixar o aplicativo, começar um canal e criar um nome, incluir uma foto e escolher entre canal público ou privado. Após criar o canal, você pode editar o *link* que é enviado para convidar as pessoas para entrarem no canal.

O Telegram é um aplicativo muito eficaz na estratégia de muitos clientes, veja se faz sentido para o seu e capriche nos conteúdos!

WhatsApp x Telegram

Está se perguntando quais são as principais diferenças entre as suas redes sociais de compartilhamento de mensagens? Vamos entender.

Criação de canais

Os canais são diferentes dos grupos, pois funcionam como uma página na rede social para que você crie conteúdo exclusivo. As pessoas seguem um canal para acompanhar as postagens do administrador.

Grupos gigantes

No Telegram, você pode criar grupos com até 200 mil pessoas. Se dentro da sua estratégia de comunidade está ter um chat com um grande número de pessoas, o Telegram pode ser uma boa opção.

Envio de arquivos

O Telegram permite o envio de mais tipos de arquivos, como PDF, Word, planilha e imagens em alta resolução. Além disso, é possível escolher se deseja enviar a versão compactada ou não.

Sem número de telefone

As pessoas não precisam compartilhar número de telefone para conversar umas com as outras. Basta escolher um nome de usuário para ter a sua privacidade respeitada.

Envio de audiocast

O sistema de áudio do Telegram permite que você trave o botão de áudio para gravar uma mensagem de voz e ainda possibilita que você escute o áudio completo antes de enviar a alguém. Outra função interessante é que você pode ouvir o áudio enquanto minimiza o app.

Edição de mensagens

Sim, chega de erros de digitação ou mensagens erradas. No Telegram, basta tocar sobre a mensagem que enviou, clicar em editar e corrigir.

Versão para desktop

Diferente do WhatsApp que só funciona no desktop se o app estiver aberto no celular, o Telegram funciona independente do celular. Assim você consegue economizar bateria e plano de dados, caso não esteja conectado ao Wi-Fi.

Capítulo 11

Relacionamento com a audiência

Se você chegou até aqui, já entendeu o quão importante é estudar o comportamento humano para criar conteúdos mais assertivos. Atualmente, o ativo mais valioso, considerado até mesmo o novo petróleo, é a atenção das pessoas, pois elas são bombardeadas de informações 24 horas por dia.

Para que você consiga captar essa atenção e fazê-la interagir com o seu conteúdo, é preciso entender sobre gatilhos mentais e colocá-los em prática. Esses gatilhos são facilitadores para o cérebro e ajudam na tomada de decisão e, quando bem-aplicados, podem ser ótimas estratégias de engajamento com o público.

Nas páginas seguintes, apresento os gatilhos mentais e revelo dicas de como aplicá-los de maneira correta e na medida nas suas estratégias de conteúdo.

Antropologia digital

A palavra antropologia significa estudo do desenvolvimento humano em vários aspectos. E quando trazemos esse termo para o digital, estamos falando sobre como o ser humano se comporta nas redes sociais.

Um fato interessante é que a maioria dos seres humanos tem comportamentos parecidos. Quando você entende como o cérebro das pessoas funciona, fica simples criar estratégias para conseguir conquistar a atenção delas.

Todos nós gostamos de nos sentir importantes. Existe até um livro interessante que fala sobre isso, que se chama *Como Fazer Amigos e Influenciar Pessoas*, do autor Dale Carnegie. Quando sabemos usar essa importância que as pessoas gostam de ter a favor do conteúdo, conseguimos captar a atenção delas.

A atenção foi considerada até mesmo o novo petróleo, de tão poderosa que se tornou. Esse ativo custa caro, principalmente, na Internet, pois as pessoas estão dispersas e sendo bombardeadas por diferentes tipos de conteúdo o tempo inteiro. É comum que passem a *timeline* do Instagram e consumam conteúdos mesmo sem prestar atenção e interajam sem perceber.

A boa notícia é que é possível criar estratégias para chamar a atenção das pessoas ou para fazê-las interagirem com o seu conteúdo mesmo sem saírem do seu subconsciente, e é isso que você vai aprender nas próximas páginas.

Existem técnicas que ajudam e muito a fazer as pessoas reagirem aos seus estímulos, como os gatilhos mentais, por exemplo. Essas técnicas podem tanto ser utilizadas para o bem, como também para o mal. Jamais gerencie perfis nos quais você não acredita e que deseje usar essas estratégias de uma forma que não concorda. Analise se acredita no conteúdo e no cliente, antes de seguir em frente.

Conquiste a atenção do público

Entre as técnicas para conquistar a atenção do seu público, está tocar na dor dele, mostrar a sua vida e focar na naturalidade, para que ele se conecte com você.

Há três passos que vão ajudá-lo de agora em diante nessa missão: conhecimento, análise e consumo. Se você está em dúvida em como colocar cada um em prática, explico abaixo.

Conhecimento

Esteja aberto para conhecer coisas novas e exercitar o seu cérebro. Nunca pare de estudar. Quanto mais coisas diferentes você consome, seu cérebro fica aberto para ter novas ideias e soluções. A criatividade é um exercício, nunca pare de estudar e de consumir novos e diferentes tipos de conhecimento.

Ver

Pare, respeite e analise. Tudo o que você vê e vivencia fica guardado e todas as vezes que precisar de alguma informação, ou criar algo, sua mente vai trazer as experiências que você já viveu.

Consumir

Esse passo está muito ligado ao primeiro. Consuma conteúdo e crie soluções no dia a dia, mesmo que elas sejam simples. Faça quantas vezes forem preciso até que comece a criar soluções diferentes.

Quanto mais você adapta esses três passos para a sua rotina, mais fácil fica ter ideias diferentes e ser criativo. Lembre-se que nosso cérebro economiza o máximo de energia e, para isso, tem ações pré-definidas no seu subconsciente. Não deixe que ele se acomode, quanto mais você o estimula, melhor será para a sua criação.

Gatilhos mentais

Os gatilhos mentais são estímulos recebidos pelo nosso cérebro que facilitam a tomada de decisão. Eles funcionam como um "facilitador" para o cérebro que já possui ações pré-definidas pelo nosso inconsciente. É como se algumas decisões fossem automatizadas para que o cérebro se dedique às escolhas mais complexas.

Esses gatilhos são muito importantes para os criadores de conteúdo, infoprodutores e gestores de redes sociais, pois, ao saber como estimulá-los em sua estratégia, você tem uma grande arma de persuasão. Quando corretamente utilizados, os gatilhos facilitam na tomada de decisão da sua audiência.

Como abordei anteriormente, o comportamento das pessoas, na maioria das vezes, é parecido, por isso, esses gatilhos funcionam tão bem nas estratégias de marketing. É por meio deles que você pode fazer o seu seguidor se sentir especial, parte de uma comunidade; ele pode sentir que está consumindo algo exclusivo. Cada tipo de gatilho pode despertar uma emoção e gerar uma ação.

Há vários gatilhos mentais, mas os mais comuns para quem trabalha com redes sociais são: escassez, prova social, autoridade, compromisso, coerência, familiaridade e exclusividade. Nas páginas seguintes, apresento melhor cada um deles.

Um fato importante é que os gatilhos mentais devem ser usados com consciência. Cuidado para não usar gatilhos que façam com que o público se sinta enganado. Além de ser uma prática antiética, vai deixar uma péssima imagem da sua marca para o seguidor. Ao usar os gatilhos de maneira correta, você consegue associar a sua marca a bons sentimentos e experiências, fazendo com que você cresça na Internet. E quem não quer isso, não é mesmo?

Quantas vezes você já ficou preso nas redes sociais?

Como você já viu nas páginas anteriores, as pessoas tendem a agir mais pelo subconsciente, porque o cérebro busca sempre gastar menos energia, e essas ações pré-definidas facilitam esse processo. E nas redes sociais isso funciona da mesma forma.

Para perceber isso, basta analisar o seu comportamento nas redes sociais. Por exemplo: quantas vezes você curtiu ou compartilhou algo sem perceber? Ou quantas vezes ficou horas em uma rede social, como o *Tik Tok* e nem percebeu? Ou quantas vezes você já disse que ia dormir cedo, ficou no Instagram e acabou indo dormir tarde?

As telas têm esse poder de "viciar", porque o algoritmo entrega coisas baseadas no seu comportamento, ou seja, coisas que você provavelmente se interessa. Contudo, se pudermos dar uma dica é: não perca tempo nas redes sociais. Use de maneira consciente! Aproveite seus momentos online para ser analítico. Veja comentários e respostas e consuma conteúdo de maneira com que você aprenda e passe a usar essas estratégias também nos seus conteúdos.

Gatilho da escassez

Esse gatilho é um dos mais poderosos e eficientes. Sabe aquela coisa de só dar valor quando perde? É mais ou menos a base desse gatilho que move as pessoas pelo sentimento de perder algo ou ficar de fora.

Tudo o que é limitado mexe muito com a mente do ser humano, por isso que esse gatilho acaba sendo eficiente com a maioria das pessoas.

Lembre-se que as pessoas gostam de se sentir importantes e um dos piores sentimentos que se pode despertar em alguém é a sua frustração. Quando uma pessoa se depara com algo que está acabando, a tendência é que ela aja rapidamente, sem pensar se realmente precisa ou quer, mas apenas para não se sentir frustrada.

Porém, esse gatilho só funciona se for utilizado de forma certa, pois, se a pessoa entende que está sendo persuadida de alguma forma, diminui muito o seu efeito, pois o seguidor tende a ignorar a oferta.

Exemplos de escassez

Para que entenda melhor como usar esse gatilho na sua rotina, apresento alguns exemplos.

Escassez de tempo

Quando você dá um limite de tempo, que pode ser em dias ou horas, para as pessoas reagirem a um estímulo. É comum ver esse gatilho sendo colocado em prática em cronômetros de contagem de tempo.

Exemplos: "É só até amanhã!"; "Essa oferta vale apenas até meia noite, não perca!".

Escassez de bônus
Muito usado para oferecer algo especial apenas para um seleto grupo de pessoas. São benefícios que agregam valor ao seu produto principal.

Exemplos: "Apenas as 10 primeiras pessoas que comentarem ganharão um *e-book*"; "Só para os 100 primeiros cadastrados, enviarei uma agenda".

Escassez de acesso
É uma maneira de ativar as pessoas pela curiosidade e vontade de pertencer a uma comunidade. Pode ser usado para grupos, como do Telegram, pois deixará as pessoas com vontade de fazer parte.

Exemplo: "Apenas para as pessoas que estiverem no Telegram vou enviar dicas exclusivas".

Escassez de vagas
Nesse caso, você limita o número de pessoas que pode ter acesso a algo que está oferecendo. Funciona bem para anúncio de *lives*, grupos fechados e vendas de cursos.

Exemplo: "Só tenho 3 vagas para uma análise de perfil gratuita, me envie uma *direct,* se você quiser!".

Prova social x Aprovação social
Apesar de o nome ser semelhante, esses dois gatilhos são diferentes, mas se complementam. Não entendeu? Explicarei melhor a seguir.

Antes de falar sobre cada gatilho, é importante que entenda que são duas formas de trazer autoridade para o seu conteúdo e fazer as pessoas reagirem a estímulos.

A prova social é quando você busca com depoimentos mostrar que aquilo que você ensina e oferece funciona e dá resultados. É quando você mostra que as pessoas saíram de um ponto A para um ponto B. É uma técnica muito interessante para lançamentos, pois mostra que outras pessoas validaram o método e estão tendo sucesso com ele.

Vamos ser sinceros, ninguém quer ser o primeiro a comprar algo, basta observar o seu comportamento. Ao comprar uma viagem ou até um produto de um site diferente, você não costuma pesquisar sobre a experiência de outras pessoas para saber se aquilo vale a pena? Pois então, é por isso que a prova social se faz necessária.

Já a aprovação social é quando as pessoas já validaram seu produto com as provas sociais. Ou seja, você foi aprovado e as pessoas divulgam seu produto/serviço por você.

Quando as pessoas estão inseguras de consumir algo, tendem a tomar atitude após verem outras pessoas consumindo. Antigamente também era bem comum os lançadores colocarem na página de vendas a quantidade de vendas até um período, pois isso também estimula as pessoas.

Resumindo, a prova social ajuda as pessoas a tomarem decisões por meio da aprovação social. Esse tipo de conteúdo pode até ter pouco engajamento nas redes sociais, mas estimula o subconsciente da audiência. Além do mais, é possível criar conteúdos impactantes aliado a provas sociais, pois isso fará com que mais pessoas consumam e engajem.

Há três fatores que fazem com que as pessoas precisem de provas sociais:

- **Escala:** o número de pessoas que agiram de determinada maneira.
- **Ambiguidade:** como foi a experiência dessas pessoas.
- **Similaridade:** a semelhança entre as pessoas que consumiram aquilo e você.

Ao ver as provas sociais, esses fatores são ativados e mandam sinais para o cérebro de que determinada escolha é confiável. E novamente o gatilho permite que o seu cérebro processe menos informações e consuma menos energia na hora de tomar uma decisão.

Exemplos de prova social

Estudos de caso: quando você conta uma história e mostra como levou a pessoa do ponto A ao ponto B e a ajudou chegar nos resultados obtidos.

Comentários: eles vêm de forma genuína nas redes sociais do seu cliente, são as opiniões sobre sua página e empresa. Uma boa dica é compartilhar esses comentários nos *stories* e até posts para impactar outras pessoas.

Depoimentos: podem vir em forma de comentários ou até mesmo em vídeos, nos quais as pessoas contem suas experiências com o seu produto/serviço.

Indicações: quando outros profissionais referência no mercado indicam o seu trabalho, você também tem uma prova social.

Número de visitantes/vendas: os números também estimulam os gatilhos nas pessoas, isso mostra o quanto o seu público confia naquilo o que oferece.

Seja uma autoridade

Você sabe qual a importância de ser uma autoridade na mente das pessoas que o seguem? Quando você é uma autoridade faz com que seu público reconheça o seu valor, ou seja, eles sabem que aquilo o que você oferece realmente funciona e não vê problemas em pagar um pouco a mais por isso.

A boa notícia é que qualquer pessoa pode se tornar uma autoridade no seu nicho de atuação, já a ruim é que isso leva tempo. Você vai construindo a sua reputação dia após dia. Alguns passos vão ajudá-lo a construir a sua imagem como autoridade, são eles:

• **Seja autoral**
A identidade não refere-se a somente o aspecto visual, mas também

sobre os seus valores e suas missões. Você precisa ser autoral, criar conteúdos seus, ter seu próprio método e ser coerente com isso.

• Mostre seu diferencial

Todos os dias mostre como mudou a sua vida e quais são os seus diferenciais perante a concorrência. Por que as pessoas devem confiar em você e não em outras pessoas? O que o torna especial?

• Tenha compromisso com a audiência

Falou que vai fazer algo? Faça mesmo e envolva a sua audiência para que ela participe ativamente disso.

• Reconheça seus erros

As pessoas costumam ter empatia e se sentem próximas daqueles que assumem que são como elas e são passíveis a erros.

• Busque reconhecimento no mercado

Tão importante quanto ser uma autoridade para as pessoas que o seguem, também é ser uma autoridade para pessoas do mercado. Quando outras pessoas da área o indicam, isso aumenta ainda mais a sua credibilidade.

Familiaridade

Chegamos a uma etapa muito importante e que fará toda a diferença na sua estratégia de conteúdo. Antes de seguir em frente, uma indicação de livro que pode ser útil na rotina do gestor de redes sociais: *As Armas da Persuasão,* de Robert B. Cialdini (Editora Sextante). Este livro mostra como as pessoas reagem aos estímulos diários e vai abrir a sua mente a respeito dos gatilhos mentais.

Pronto para entender como se posicionar nas suas redes sociais e gerar a afeição das pessoas? A audiência tende a dizer "sim" para aqueles que confiam e admiram. Por isso, é tão importante ter a aprovação social e ser uma autoridade na sua área. Quanto mais você falar de um assunto e tiver provas sociais, mais as pessoas vão admirá-lo.

Vamos falar novamente dos microrresultados, pois eles são

importantes também para os seus seguidores. É necessário fazer com que a sua audiência tenha esses resultados e saia do ponto A para o ponto B até que ela se encante e consuma o seu produto. A autoridade e a credibilidade contribuem para que as pessoas o admirem e criem afeição.

Além disso, há quatro coisas que fazem com que as pessoas o admirem, são elas:

Atratividade física

Pessoas mais atraentes têm um maior poder de persuasão. São pessoas com postura, que estão sempre bem apresentadas e preparadas para falar em vídeos e *stories*. Há estudos que falam sobre esse poder, mas vale lembrar que não é uma regra. Tudo depende do seu nicho de atuação e das redes sociais que você usa.

Semelhança

Quando mostra seu dia a dia, seu trabalho e coisas que acontecem na sua rotina, faz com que as pessoas se sintam parecidas com você. Isso porque você mostra que passou por algo que ela já passou, que você tem algo que ela tem e que tem as mesmas dificuldades que ela. Essa semelhança gera muita afeição e, nas redes sociais, as pessoas tendem a seguir aqueles que são parecidos com elas.

Elogios

Eles também ajudam a criar afeição, mas tome cuidado, pois os elogios podem ser perigosos e devem ser moderados e não forçados. Se usados da maneira correta, são uma ótima forma de criar afeição.

Familiaridade

É muito parecida com a semelhança. O contato repetido com a pessoa atrelada a fatores positivos, como um marido aparecendo sempre nos *stories*, ou um filho, enfim, esse contato gera familiaridade, uma sensação boa e de proximidade.

Compromisso com a audiência

Chegamos à última etapa da nossa jornada como gestor de redes sociais, porém, não menos importante. É preciso que você entenda como é necessário ter compromisso e coerência com a sua audiência e o que isso trará de benefícios a longo prazo.

Quando você é coerente, tem harmonia naquilo o que fala, faz e se compromete com a sua audiência, tende a fazer com que as pessoas confiem em você e se comprometam também.

A coerência é a harmonia daquilo que você fala com as ações que você já mostrou nas redes sociais. Ela é um atalho para fazer com que as pessoas lembrem de coisas que já viram nas suas redes sociais.

Quer entender como persuadir seus seguidores por meio desse compromisso e coerência? Simples! Assegure-se de um compromisso inicial. Comprometa-se e cumpra isso com a audiência. Faça com que eles também se comprometam com você.

O comprometimento é importante em vários nichos e é uma estratégia de movimento, uma troca mútua.

Há pessoas que encontrarão desculpas no meio do caminho, empecilhos, vão achar que não podem e nem conseguem seguir em frente. Por isso, é importante estar preparado com conteúdos que quebrem as objeções da audiência. Esse tipo de conteúdo é uma maneira de mudar o comportamento das pessoas que o seguem.

Quando você é comprometido com a sua audiência, ela se compromete com você, há uma harmonia no seu conteúdo e as pessoas confiam cada dia mais naquilo que você diz e faz.

Capítulo 12

Desvendando o Youtube

Nem só de Instagram se faz uma estratégia de redes sociais. Um bom gestor de redes sociais precisa estar antenado em tudo e sabe que o Youtube é uma ótima plataforma de alcance para seus clientes. Engana-se quem pensa que a rede social de vídeos é apenas para conteúdos educativos. Atualmente, já é possível encontrar todos os tipos de produções!

Em alguns países, por exemplo, as pessoas já não ligam mais a televisão para consumir notícias e informações, é tudo pelo Youtube, o que o torna uma ótima oportunidade de aumentar o seu alcance na Internet. Contudo, qual é o segredo para crescer nessa rede social? Simples! Ter estratégias bem-definidas, constância e bons conteúdos.

Nas páginas seguintes, eu conto tudo o que você precisa saber sobre o Youtube. As dicas vão desde como começar o seu canal a definir estratégias assertivas e ter constância na sua criação de conteúdo. Se entre os seus planos está começar a produzir conteúdo em vídeo, siga em frente, pois as dicas são valiosas!

Entenda o Youtube

Se você já gera conteúdo para o Youtube ou atende clientes que possuem um canal por lá, as páginas seguintes vão ajudá-lo a abrir a sua visão sobre essa rede social e criar estratégias assertivas de posicionamento.

Uma das coisas importantes de se entender é que o Youtube não é uma rede social apenas para quem ensina algo. Dentro dele é possível criar conteúdo sobre tudo! No Youtube, é possível encontrar *review* de filmes, produtos, equipamentos, conteúdo de comédia, informação e notícia e tutoriais.

Para você ter uma noção, nos Estados Unidos, por exemplo, é comum as pessoas acordarem e acessarem a rede social de vídeos, não ligar a TV para se informar, como muitos de nós estamos acostumados.

Diferente do Instagram, o YouTube entrega bastante o seu conteúdo. Para criadores constantes, ele oferece um ótimo alcance. Além disso, é um conteúdo empilhável, que as pessoas podem pesquisar e encontrar, ele não some como o do Instagram, por exemplo.

Se você quer começar no Youtube, uma dica é saber o seu objetivo: vender mais, se posicionar para aumentar a sua visibilidade na Internet, alcançar mais pessoas? Outra dica é usar um canal de destaque do seu nicho como modelo. Veja quem tem se destacado e analise as estratégias desse canal, como as pessoas se comportam ali dentro, o que elas perguntam, entre outras peculiaridades.

Frequência de postagens

Por que é importante você postar com frequência nos mesmos horários e dias no Youtube? Antes de apresentar esta resposta, você precisa saber que, para criar o seu cronograma de conteúdos, é fundamental ter bem definido o seu nicho, subnicho e saber com quem você está falando. Quando você conhece o seu público e sabe quem consome seu conteúdo, fica mais fácil saber a rotina das pessoas para organizar o horário e dias de seus conteúdos.

E por que os horários e dias são importantes? Porque o algoritmo do Youtube percebe a sua frequência de postagens. Ele geralmente separa quem é constante de quem gera conteúdo esporadicamente, dando atenção maior para aqueles que produzem conteúdo sempre. Por exemplo, se você posta conteúdo uma semana sim, outra não, depois aparece daqui um mês, o Youtube não dará tanto destaque. Fique atento a isso! É comum que ele ajude um canal que tenha um cronograma de postagens e produza sempre para ganhar esse alcance. Além disso, em média, 40% das pessoas que assistem conteúdos no Youtube, chegam ao canal por conta dos sugeridos no pesquisar, e ter constância ajuda que você apareça mais por lá. Portanto, tenha como prioridade do seu canal o cronograma de postagens, se você deseja crescer no Youtube.

Tipos de conteúdo

Há várias formas de criar conteúdo para o seu canal no Youtube, aqui vão algumas para inspirá-lo nas suas estratégias!

Tutorial: quando, no vídeo, é mostrado como fazer algo detalhadamente, em forma de passo a passo.

Educação: conteúdos educativos costumam chamar atenção do público. O que você tem para ensinar em vídeo para sua audiência?

Review: tanto de produtos, como de equipamentos. Não é um conteúdo fácil para crescer, mas se você tem um cliente que vende produtos, por exemplo, é legal ter essa categoria dentro do canal.

Vlog: quando você mostra sua rotina ou algum evento de maneira espontânea para o público. É um formato gostoso de assistir e as pessoas gostam bastante!

Screencast: é uma gravação de tela, geralmente, usada para conteúdos educativos. Há muitos canais que crescem bastante com isso, aliás, é bem comum ver esse tipo de conteúdo em canais de gamers.

Animação: formato de conteúdo mais demorado, no qual, com ilustrações animadas, você consegue abordar um assunto.

Por trás das câmeras

Se você tem dúvidas em como organizar o seu conteúdo e conseguir expor as suas ideias de forma natural, muita calma, para isso você precisa se planejar e ter um bom roteiro. Ao criar o seu, organize aquilo que deseja abordar no vídeo. Uma maneira é organizar o conteúdo em começo, meio e fim, e os *call to actions*, onde vai pedir para as pessoas comentarem, darem *like* e se inscreverem.

O roteiro é importante para você não esquecer o que precisa falar e nem se perder no assunto e se alongar demais. Frases e palavras-chave ajudam e muito nessa organização.

Uso dos *CTAs*

É importante fazer *CTAs*, principalmente, na rede social de vídeos, para que você cresça e aumente a interação das pessoas com o seu conteúdo. Para chamar as pessoas para se inscreverem no seu canal, é mais complexo do que apenas falar: "Se inscreva, dê um like e comenta". Ao jogar todas as informações de uma vez, a pessoa fica confusa e acaba não tomando ação nenhuma. Então, o indicado é dividir os *CTAs* durante o vídeo.

Outra boa estratégia é incluir cards nos vídeos para que as pessoas terminem de assistir a um conteúdo seu e siga assistindo a outros.

Identidade visual

Antes de começar a gravar os seus vídeos, é importante arrumar a casa. Isso significa ter uma identidade visual bem-definida.

Mesmo que você não tenha como investir nisso agora, contratando um designer, é interessante ter uma foto de perfil atrativa, um banner que fale sobre o nome do canal e as datas de vídeos. Use uma paleta de cores, uma vinheta, enfim, deixe o seu canal profissional dentro da linguagem e tema que você deseja trabalhar.

Uma boa dica é usar o *Canva* para criar as suas artes, basta digitar o tipo de arte que você busca e ele dará os tamanhos certinhos.

Acerte no conteúdo

Uma estratégia eficaz para fazer o seu canal crescer é apostar em conteúdos que são pesquisados com frequência e rankeados no Google. Existem algumas ferramentas que podem ajudá-lo nisso, como o *vidiQ*. Instale a extensão dele e, ao entrar no YouTube e clicar em um vídeo, você já consegue analisar as métricas daquele conteúdo. Com ele, é possível saber se um tema é bom, se tem bastante procura, o vídeo que bomba dentro daquele assunto, a idade média das pessoas que buscam sobre o tema, entre outras informações.

Outra plataforma útil para isso é o Google Trends, no qual você pode comparar entre vários termos qual o mais buscado para incluir no seu título.

Importância das métricas

É necessário saber analisar os dados que o próprio Youtube oferece para melhorar os seus vídeos e fazer o canal performar melhor. Para ter acesso às métricas, acesse o Youtube Studio e vá até as estatísticas.

A visão geral apresenta as principais informações do seu canal. Já no alcance, você tem acesso a como seus vídeos estão performando e onde as pessoas mais conhecem seu canal. O envolvimento, por sua vez, revela o quanto as pessoas se envolvem com o conteúdo, que pode ser em *likes*, *deslikes*, duração média de visualizações e retenções.

Também é possível selecionar o período que deseja analisar. O Youtube dá os dados em tempo real, os últimos 28 dias, últimos 90 dias e o último ano. Enfim, você pode personalizar as datas para fazer uma análise mais completa.

De olho no tempo de exibição

Esse dado é importante, porque é por meio dele que você vai saber quanto tempo as pessoas passam no seu canal e assistem aos seus vídeos. Isso indica se os vídeos estão agradando, se os temas estão interessantes ou se você está errando em alguma estratégia. Dentro desse dado você consegue ver os vídeos que mais agradaram ao público e replicar o tema ou o formato.

Uma informação útil é que só é possível monetizar um canal, ou seja, ganhar dinheiro disponibilizando anúncios do Google nele, após bater a marca de 4 mil horas de exibição pública. Sendo assim, vídeos não listados e privados não contam.

Retenção do público

Essa métrica revela o tempo que o seu público passou em cada vídeo. Com esses dados, você consegue saber os vídeos que agradam mais, se está usando *CTAs* nos momentos errados ou se falou algo que fez com que as pessoas desistissem do conteúdo.

É possível dividir esses dados entre inscritos no canal e não inscritos, assim você consegue criar estratégias para trazer pessoas de fora e também para fidelizar quem já se inscreveu. O segredo está em abrir a plataforma e pesquisar os dados, pois dá para tirar *highlights* poderosos.

Como monetizar o seu canal?

Não é apenas criar um canal e, pronto, seus vídeos serão monetizados. Para entrar para o Programa de Parceiros do Youtube, você precisa ter um canal e seguir alguns requisitos:

• Seguir as diretrizes de conteúdo, ou seja, os seus conteúdos precisam ser autorais e *family friendly*;
• Residir em um país onde o programa de parceiros está disponível, que é o caso do Brasil;
• Ter mais de 4 mil horas de exibição pública nos últimos 12 meses;
• Ter mais de mil inscritos;
• Ter uma conta vinculada no Google Adsense.

Assim que der *check* em todas essas condições, você solicita a inscrição no programa dentro do Youtube e, se for aceito, começará a monetizar com anúncios transmitidos antes, durante ou depois do seus vídeos.

Como crescer no Youtube?

Antes de mais nada, precisamos entender que o Youtube, assim como outras plataformas, possui o seu algoritmo. Portanto, se você quer jogar esse jogo, precisa conhecê-lo e ser "amigo" dele, para que entregue o seu conteúdo para mais pessoas.

Há algumas atitudes simples que podem comprometer esse relacionamento com o algoritmo, como postar um vídeo fora do horário que você já posta. Portanto, tenha um comportamento "previsível", como um dia e uma hora marcada para postar seus vídeos.

Para ajudá-lo nessa jornada no Youtube, abaixo apresento sete tópicos essenciais para crescer o seu canal.

1) Tenha carisma

Seja natural e tenha carisma com o seu público. As pessoas precisam ter uma afeição e se identificar com você. Uma boa dica para mostrar carisma é falar com energia, seja intenso e alegre, mostre que você está gostando de fazer aquilo. Mostre um movimento, as pessoas adoram vídeos com outras pessoas andando e fazendo coisas, isso costuma chamar atenção, por isso os *vlogs* fazem tanto sucesso.

2) Crie um roteiro

Se você não sabe como fazer um roteiro, ensino alguns subtópicos para que você siga nos seus vídeos.

Apresentação + tema: é você falar sobre o conteúdo do vídeo. Lembre-se que, no vídeo, você tem 10 segundos para chamar atenção das pessoas.

Looping **mental:** quando a pessoa fala que tem x dicas, mas para ficar ligado que a última é surpreendente. Você abre o *loop* mental para que a pessoa veja tudo para conferir o final. Essa estratégia é muito boa para retenção de público.

CTA 1: antes de começar o vídeo, peça para que a pessoa curta, clique no sininho e se inscreva no canal.

História: aqui você irá contar a história para contextualizar o tema e criar conexão com o público.

Conteúdo: são as dicas que você vai dar, mas tome cuidado para não se prolongar demais.

*CTA*2: quase fechando o conteúdo e concluindo o *looping*, aproveite e faça um *CTA*. Pode ser chamar as pessoas para um link de uma linha de espera, comentar e contar histórias parecidas e pedir sugestões de temas para outros vídeos.

Fecha *looping*: aqui é aquela forma que você falou que seria a última e mais importante.

*CTA*3: finaliza e pede para as pessoas contarem se gostaram do conteúdo, se fez sentido e se elas tiveram alguma experiência para trocar.

3) Tenha constância

Poste sempre no mesmo horário e com dias marcados. Seja constante e não irrite o algoritmo!

4) Use as tags a seu favor

Na descrição, você pode escrever 5 mil caracteres, portanto, utilize isso a seu favor. Resuma o assunto do vídeo e transcreva na descrição dele, pois quanto mais você transcrever, mais o Youtube saberá do que você está falando. Como a rede social de vídeos é uma ferramenta de pesquisa, ajude as pessoas a encontrarem o seu conteúdo. Além disso, use as tags para para ser bem rankeado e organizar o seu vídeo em nichos.

Há outra estratégia que poucas pessoas conhecem que é indicar vídeos de outros canais. Quando você faz isso, funciona como um hack no algoritmo, porque toda vez que as pessoas assistirem ao vídeo "parecido" com o seu, que você indicou, há grandes chances de ele aparecer nos seus vídeos relacionados. Portanto, coloque indicações na sua descrição.

5) Cuidado com áudio e vídeo

As pessoas estão dispostas a aceitar uma imagem não tão profissional, mas um áudio ruim não. Portanto, tome cuidado com isso! Se for para investir, invista primeiro em áudio, mas nunca deixe de produzir para o seu canal por falta disso. Todo mundo começa do mesmo lugar. Se atente a ter uma boa luz, grave em um local silencioso e sem eco.

6) Capriche nos títulos dos vídeos

Ele é a coisa mais importante do seu vídeo. Construa títulos sedutores! Existem vários materiais na Internet com títulos criados com técnicas de *copywriting* e que chamam atenção das pessoas.

Uma boa dica é usar o Google Trends para entender o que as pessoas buscam dentro de um determinado tema.

7) Crie relacionamento

Como em qualquer rede social, no Youtube, também é importante se relacionar com o seu público. Para fazer isso, responda aos comentários das pessoas, encontre maneiras de interagir com o público, faça enquetes "falaremos sobre isso ou isso?", crie vídeos ao vivo, enfim, tente ser o mais interativo possível.

Conteúdo temporal ou atemporal?

Sim, é importante ficar atento ao ranking de vídeos mais vistos e temas atuais para trabalhá-los no Youtube, porém também é necessário diversificar para que o seu conteúdo não seja tão datado. Tente trazer temas atuais, mas de uma maneira que o vídeo não fique temporal. Um vídeo atual será muito buscado hoje e pode até ter muitas visualizações de uma vez só, mas, ao longo do tempo, ele perderá relevância. Já um vídeo atemporal, pode não ter tanta visualização agora, mas, com o passar do tempo, ele vai ganhando relevância, porque aquilo continua sendo buscado e entregue para as pessoas.

Capítulo 13

LinkedIn para negócios

Há clientes que se beneficiam e muito do LinkedIn, afinal, ela é a maior rede social profissional do mundo. No seu início, ela era focada para quem buscava oportunidades de trabalho e empresas que buscavam potenciais contratações. Ainda hoje funciona bem para isso, mas vai muito além!

Essa plataforma, além de uma ótima ferramenta para *networking*, também funciona como uma poderosa estratégia de *branding* e publicidade online. Quando explorado corretamente, o LinkedIn ajuda empresas a transformarem os seus negócios, ganhando visibilidade, conquistando novos *leads* e ótimos parceiros de negócios. Contudo, diferente do Youtube e Instagram, o conteúdo no LinkedIn precisa de uma abordagem muito específica e, para isso, é necessário estudar a rede social.

Para ajudá-lo a criar estratégias assertivas para a sua marca ou cliente, nas páginas seguintes, apresento tudo o que você precisa saber sobre o LinkedIn. Siga em frente e entenda como usá-lo para se tornar uma referência no seu mercado de atuação.

Como funciona o LinkedIn?

Esqueça aquele papo de que o Linkedin é só sobre currículos! Ele é muito forte em *networking*, em conexões e negócios. Claro que é uma rede social onde as pessoas buscam por empregos e profissionais, mas ela é muito maior do que as pessoas pensam e pode ser poderosa em uma estratégia de gestão de redes sociais.

No LinkedIn, você consegue produzir conteúdo e consumir também. É uma ótima rede social para você informar e ficar informado sobre o que acontece no mundo corporativo.

Se você é um gestor de redes sociais, precisa analisar se o seu cliente é mais profissional. Será que o perfil dele não cresce em outras redes por que o posicionamento deveria acontecer no LinkedIn? Caso o seu cliente esteja buscando conexões, conhecer pessoas, estar informado e informando, talvez essa rede social seja uma boa escolha.

Outra informação muito importante sobre o LinkedIn é que o seu alcance orgânico é muito forte. Assim como qualquer outra rede social é necessário ser constante. E, para o seu algoritmo, o que manda é a agilidade! Tente ser rápido nas respostas e interações, esteja sempre comentando, participando e se conectando com pessoas, pois isso ajuda a aumentar a sua entrega.

Como você já viu neste livro, no Instagram, o algoritmo quer que você gere um conteúdo que faça com que as pessoas permaneçam o maior tempo possível na plataforma e, nas outras redes, isso não é diferente. Se você gera um conteúdo bom e que prenda as pessoas na plataforma, com certeza, vai ter alcance.

Um fato muito legal é que no LinkedIn a sua opinião em posts famosos pode viralizar, diferente das outras mídias. Além disso, quando seus amigos comentam em um post seu, os amigos deles também recebem esses posts na *timeline*, ou seja, o alcance é realmente muito poderoso.

Tenha um perfil campeão

Apesar de ser uma rede social focada em *networking*, no LinkedIn, você pode se mostrar de uma forma mais natural, não precisa ser engessado como um currículo.

Quem entra no seu perfil, além da sua capa, consegue ver a sua foto e nome. Para a capa, a dica é personalizar para algo profissional, como uma foto trabalhando, dando palestras ou mentorias. O tamanho para esse destaque é pequeno, portanto, tome cuidado para não perder a qualidade das imagens. No *Canva*, é possível fazer os ajustes, criar essas capas com fotos ou usar fotos de banco de imagens. Use a sua criatividade!

A sua foto de perfil pode ser padronizada, a mesma para todas as redes sociais. Só tome cuidado para ver se todas estão de acordo com cada plataforma. Enfim, são detalhes, mas que fazem a diferença no seu posicionamento.

Na parte do nome, você consegue colocar um resumo sobre o que você faz profissionalmente. Deixe bem claro quem você é e busque chamar a atenção nesses títulos. Você é um estrategista? Dá mentorias? Tem um título forte no mercado? Utilize dos seus melhores títulos e números no LinkedIn. E não se esqueça de mostrar a transformação que você realiza com o seu trabalho.

Uma dica muito importante é sobre as palavras-chave. Use-as tanto no seu perfil, como também no seu conteúdo, pois, se forem bem utilizadas, esses conteúdos podem ser encontrados no Google.

Não se esqueça de preencher o "sobre" do seu perfil. Tente escrevê-lo da maneira como você é, dizendo o que você faz, a sua trajetória, o que você já fez de importante, entre outros destaques de sua carreira. Dentro do seu perfil também é possível personalizar a sua URL com o seu nome, facilitando para as pessoas te encontrarem.

Quando você faz isso e preenche todas as informações solicitadas pelo LinkedIn, o seu perfil automaticamente se torna campeão. Fique tranquilo, pois é muito intuitivo e a própria rede social vai avisando o que está ou não concluído.

Criando um post

Vamos começar do básico, que é como criar um post comum no LinkedIn. Antes de aprender, tenha em mente que o LinkedIn não é uma rede social focada em seguidores, portanto, não é necessário postar conteúdos todos os dias, o algoritmo não irá prejudicar a sua conta, caso você não poste. Contudo, caso você possa postar com frequência e tenha conteúdo para isso, ele irá aumentar o seu alcance, porque o conteúdo vai girar pela rede e as pessoas vão receber mais a sua página, ainda mais se ele for um sucesso de comentários e curtidas.

Para criar um post, basta ir até a página inicial e clicar em começar uma publicação. Você pode comemorar uma ocasião, alguém novo na equipe, aniversário de alguém, mais um ano na empresa, entre outros. Também é possível criar enquetes com vários temas, buscar um especialista, entre outros assuntos relevantes à sua atuação. Vale lembrar que esse post é para conteúdos curtos, os maiores você pode publicar como um artigo.

Escreva o post normalmente e, se achar necessário, inclua o link de um post no Instagram, um link de um vídeo do Youtube, de alguma notícia que tenha sentido com o seu conteúdo, enfim, o que for mais interessante para você no momento. Porém, pense estrategicamente, se você colocar algo diretamente ali no LinkedIn, o seu alcance será 40% maior. Quando falamos em colocar o conteúdo direto, é fazer *upload* de uma foto por lá, um vídeo, entre outros conteúdos, sem um *link* externo.

Por que criar artigos?

O LinkedIn possibilita aos usuários também escreverem artigos e é uma ótima maneira de fortalecer o seu nome ou do seu cliente como uma autoridade no seu nicho de atuação.

Para escrever o seu, abaixo de "começar uma publicação", você encontrará um link de "escreva um artigo". Ele irá abrir uma página como se fosse um blog para que complete com título e texto. Você pode incluir imagens, colocar créditos, legendas, slides, vídeos, links e trechos, além de editar com itálico, *bold*, entre outras características.

É uma ferramenta bem completa que permite, inclusive, que você salve o texto como rascunho e volte a editá-lo em outro momento.

Você vai perceber que o seu alcance não será tão grande quando escrever um artigo, pois, para chegar até ele, a pessoa precisa clicar na foto e entrar em outra página. Porém, esse tipo de conteúdo faz com que você gere muita autoridade dentro da sua área de atuação.

Se você ou o seu cliente gostam de escrever e informar as pessoas, é uma ferramenta útil. Além do mais, esse artigo, como a sua página, pode ser encontrado no Google, portanto, capriche na busca de palavras-chave e use-as no seu texto.

LinkedIn Page

Na rede social também é possível criar uma página, como se fosse no Facebook. Vale lembrar que as páginas não fazem conexão, é possível apenas segui-las.

Para criar a sua, vá até soluções e em "crie uma LinkedIn page". Lá você irá encontrar opções para pequenas, médias empresas, instituições de ensino, entre outras. A rede social oferece várias opções para que você selecione aquela que mais se adequa. Selecione aquela que você se encaixa e preencha o seu nome, adicione o site da empresa, setor, o tamanho dela (a quantidade de funcionários), tipo de empresa, inclua uma logo e slogan. Depois, clique em declaro e crie a sua página.

Após criar sua página, vá até o início novamente e você poderá ver a sua página no canto esquerdo.

Vale lembrar que o LinkedIn é muito específico, ele mostra detalhadamente o que você precisará fazer para a sua página ficar completa e ter o máximo de informações possíveis.

Quando você cria uma página, é possível analisar as métricas, ver o que as pessoas estão dizendo a respeito da sua empresa na rede social, quem usou as *hashtags* criadas por você, entre outras informações.

Ao finalizar a sua página, é possível criar publicações para o público, e o mais legal é que o LinkedIn mostra o que as pessoas estão buscando dentro da sua área para que você seja assertivo nos conteúdos.

LinkedIn no celular

Além do desktop, é possível acessar a versão para celular do LinkedIn. Ele lembra bastante o Facebook, é mais enxuto, você consegue fazer publicações e interagir com as pessoas, mas não é possível fazer artigos.

O mais interessante de fazer no seu aplicativo é gravar *stories*. Ele é parecido com o do Instagram, você pode ver a quantidade de visualizações e interagir com o público.

Lembre-se que está em uma rede social profissional, então você pode fazer fotos estudando, de cursos que você ministra, pode colocar alguns *stickers*, mostrar a sua rotina de uma maneira que se conecte com as pessoas. Você também pode mostrar uma reunião que está participando, dar dicas de livros, entre outros.

Como no Instagram, é possível tirar o som, incluir texto, escolher a cor e o tipo de fonte ou mencionar alguém que esteja conectado no LinkedIn. Stories prontos, basta compartilhar. Simples assim!

Não existe muito segredo, basta executar tudo aquilo o que aprendeu aqui para evoluir cada dia mais na rede social.

Métricas do LinkedIn

Como as outras redes sociais, o LinkedIn também disponibiliza as métricas para que você analise a fundo como seus conteúdos e estratégias estão performando. As páginas oferecem métricas, mas aqui ensino sobre o perfil, que oferece métricas de uma maneira diferente, através de pontuações.

Para acessar, vá até o campo da URL e escreva **www.linkedin.com.** Se você estiver logado no LinkedIn, ele já vai direto para o seu perfil.

Há quatro princípios para avaliar se o seu LinkedIn está sendo bom.

O primeiro é "estabeleça a sua marca pessoal". Você melhora os seus números nessa parte quando preenche todos os requisitos no seu perfil e se torna um perfil campeão. Porém, além disso, quando você tem uma frequência de posts e está sempre no LinkedIn, interage, comenta, a rede social avalia a sua presença.

Outro princípio de análise é "localizar as pessoas certas", que significa pesquisar e fazer boas conexões para você. Se há interesse em se posicionar nessa rede social, é importante fazer boas conexões, então aproveite para rankear bem nessa métrica.

O terceiro princípio é "interagir oferecendo *insights*", participando de posts, comentando, dando sua opinião, mostrando que você não está ali por estar, mas que está interagindo e promovendo debates. Lembre-se que tão importante quanto produzir conteúdo é participar.

E o quarto princípio é "cultivar relacionamentos", o que significa não demorar para responder às pessoas em mensagens diretas e estar presente na plataforma.

Para analisar se os números são bons, verifique as suas pontuações: abaixo de 5,9 é um sinal de que você precisa melhorar bastante. Já a partir da métrica 6, significa que você está ok, mas que é possível melhorar, veja o que falta e foque nesse ponto. Uma nota 7 quer dizer que você está bem na sua métrica; já um 8 é uma nota ótima, quer dizer que está presente, criando conteúdo e nutrindo relacionamentos, e um 9 é que você está perfeitamente bem, você cria conteúdo, tem compartilhamentos, compartilha e tem relacionamento com a sua audiência.

Agora que apresentei mais em detalhes o LinkedIn, cabe a você avaliar se essa rede social é importante para a sua estratégia e começar a colocar tudo o que aprendeu em prática. Lembre-se que se o posicionamento do seu cliente é fazer relacionamentos, ter um perfil profissional, valorizar a marca e ser uma autoridade dentro do seu nicho de atuação, ele tem muito a ganhar com o LinkedIn.

Capítulo 14

Desvendando o Facebook

Depois do Orkut, o Facebook foi a primeira rede social a entrar no dia a dia das pessoas. Ele chegou de mansinho, parecia que não ia dar muito certo e, quando piscamos, todo mundo estava conectado. E o mais legal é que sempre foi uma rede sem idade, onde pais, filhos, avós, todos podem se encontrar por lá. Com o surgimento do Instagram e Youtube, ele pode até ter perdido um pouco de popularidade, mas ainda é uma rede social muito forte.

É possível desenvolver várias estratégias dentro do Facebook. Você quer vender? Despertar o sentimento de comunidade? Aumentar o relacionamento com a audiência? Seja qual for o seu objetivo, lá dentro será possível. Isso porque o Facebook é uma rede social muito completa e possibilita desde a criação de publicações rápidas até *stories*, vídeos, realização de lives, criação de páginas, comunidades e muito mais.

Se interessou e quer saber mais sobre essa rede social? Nas páginas seguintes, revelo tudo o que você precisa saber sobre a queridinha de Mark Zuckerberg e como a sua marca ou o seu cliente pode se beneficiar dela. Pegue já o seu computador, faça o seu login no Facebook e venha para mais conteúdo.

Facebook como estratégia

O Facebook é uma rede social bem completa e pode ser usado como estratégia de relacionamento, de vendas de produtos, entre outros. Analise como ele será útil para a sua marca ou para o seu cliente.

Ao abrir uma página, é essencial preencher o perfil completo para que as pessoas consigam ter informações precisas. Lembre-se que elas podem ser conteúdo para a sua audiência. Por exemplo, se alguém deseja contratar o seu trabalho e quer alguma informação extra, ela pode estar lá. Verifique se isso faz sentido para você.

Também é possível incluir uma foto de perfil e uma de capa, não se esqueça de pensar no visual da sua marca. O bom é que o Facebook é uma rede social muito intuitiva e fácil de aprender a mexer, basta ir mexendo aos poucos.

A sua linha do tempo é onde as pessoas encontram todas as suas informações e publicações feitas. Já a sua página inicial, é onde você encontra todas as publicações que os seus amigos fizeram, o que inclui os *stories*. Isso mesmo, também é possível fazer *stories* no Facebook, e o melhor, você pode compartilhar os *stories* do Instagram no Facebook.

Existe uma aba no Facebook chamada "watch", na qual você consegue assistir vídeos. O algoritmo percebe pelo seu comportamento o que você pode gostar e envia como opção. É um ótimo local para analisar o comportamento das pessoas, pois elas interagem bastante com comentários. Conteúdo que simplifique a rotina das pessoas costumam fazer bastante sucesso e ter um ótimo engajamento, além dos vídeos de humor e com memes.

O "ao vivo" dentro do Facebook também é outro canal muito poderoso. Há várias páginas que usam essa ferramenta, pois ela conta com um alcance interessante. Vale a pena analisar se essa estratégia vale a pena para o seu cliente.

Como fazer publicação

Fazer uma publicação no Facebook para alguns pode ser básico, mas pretendo começar do princípio da rede social, afinal, tanto para criar um post no seu *feed* ou em uma página você vai seguir os mesmos passos.

O local onde você pode escrever a sua publicação sempre virá com uma frase "no que você está pensando?" e abaixo terá as opções de foto, vídeos, vídeo ao vivo, sentimento/atividade. Ao clicar nesse local que pergunta o que está pensando, logo abrirá uma caixa para criar a sua publicação. Após escrever, você pode optar por marcar um amigo (o que é uma boa pedida, porque, quando você marca alguém, o post também aparece para os amigos do seu amigo, aumentando o seu alcance), dar check in em um local, entre outras ações.

Uma informação importante é que um post no Facebook não é empilhável, então você pode compartilhar posts antigos para relembrar a sua audiência ou reciclar conteúdos.

Criando uma sala

Nos últimos anos, as pessoas passaram a fazer mais *home office* e, com a necessidade de se reunirem à distância, o Facebook criou as salas, onde elas podem fazer reuniões online com vários participantes. É uma ferramenta que possibilita bons resultados e facilitado o dia a dia de muita gente.

Ao criar uma sala, você consegue adicionar várias pessoas para conversarem, compartilharem tela, entre outras funções. É possível convidar até 50 pessoas para uma mesma reunião.

Ao acessar o Facebook, abaixo do local de criar publicação, terá um ícone de câmera de vídeo roxa, que terá escrito "sala de" com o seu nome em seguida. Clique em criar, escolha a atividade da sala (se é aniversário, reunião, karaokê...) ou crie uma atividade. Convide as pessoas que você quer que participem da sala ou envie o link para os amigos que você deseja que participem. Como em qualquer outro serviço de vídeo, também é possível abrir e fechar câmera, microfone, compartilhar tela, enviar mensagem de texto, ver quem está online. É um recurso prático e fácil de mexer, principalmente para quem precisa fazer muitas reuniões durante o dia e não pode estar fisicamente em um lugar.

Comece uma comunidade

Se tem uma estratégia boa para se trabalhar no Facebook, é a criação de comunidade. Essa estratégia fortalece a sua marca e aumenta o seu relacionamento com as pessoas.

Essas comunidades, na verdade, são chamados de grupos dentro da plataforma. Neles, você pode aceitar pessoas e formar uma comunidade sobre um determinado nicho, pode ser marketing digital, apaixonados por carros, futebol, entre outros.

Dentro do grupo, é possível criar e agendar posts interagindo com os participantes, fazer enquetes, criar regras do grupo para manter a ordem entre as publicações, etc. A diferença da página e do grupo é que, na página, só você pode publicar, já no grupo, as pessoas podem criar debates e fazer publicações no *feed*.

Caso você queira aprender sobre algo dentro do seu nicho ou até mesmo vender algum produto na região em que mora, procure grupos no Facebook, há muitas opções na Internet.

Uma questão interessante é que os grupos podem ser abertos ou privados. Há pessoas que ganham dinheiro vendendo assinaturas para os usuários participarem dos seus grupos e receberem conteúdo exclusivo.

Para criar um grupo, você vai na quarta opção lá em cima, do lado de *marketplace*, no ícone com vários avatares, e clique em criar um grupo. Daí em diante é bem semelhante com criar uma página. Preencha o nome do grupo, se ele será público ou privado, escolha os amigos que irão participar ou crie o link para encaminhar para as pessoas que deseja que participem do seu grupo.

Venda pelo *marketplace*

No topo do seu *feed*, você vai encontrar um local para fazer os posts, o ícone do watch e, ao lado dele, o *marketplace*. É a terceira opção da esquerda para a direita.

O marketplace é uma maneira de vender um produto de uma forma orgânica. Ou seja, se você deseja usar o Facebook para vender, é uma boa opção para incluir na sua estratégia.

Essa ferramenta funciona como uma feira, onde as pessoas anunciam o que têm para vender, de maneira organizada, e as outras podem entrar em contato para fazer perguntas, negociar, etc. Aliás, falando em negociar, essa é uma prática muito comum no *marketplace*, então o atendimento precisa ser diferenciado. Você está disposto a isso? Avalie se é interessante dentro da sua estratégia marcar presença nessa ferramenta.

Existem três formas dos seus produtos serem conhecidos: através da localização, pois o Facebook indica produtos de pessoas próximas ao usuário; cadastrando um produto novo, porque eles sempre aparecem primeiro para as pessoas; e itens com mensagens e compartilhamento, consequentemente, acabam tendo um alcance maior.

Ao criar um classificado, você pode incluir um imóvel para venda ou locação, veículos ou qualquer outro item. É possível também incluir uma foto do que quer vender, um título persuasivo, que deixe bem claro o que você está vendendo. Uma dica: preencha com o máximo de informações que puder para ficar claro para quem busca o seu produto. Feito isso, basta publicar e, pronto, o seu item já estará à venda!

Uso de *hashtags*

Afinal, elas funcionam também no Facebook? A resposta é que sim, mas de uma maneira bem diferente do Instagram.

Quando você coloca uma hashtag no Instagram, você categoriza um conteúdo dentro da rede social. Por exemplo, se você posta uma foto estudando sobre gestão de rede social e coloca *hashtags* que tenham a ver com isso, o Instagram vai entregar para todo mundo que tem interesse nesse tema e que busca por essas *hashtags*. Provavelmente, a sua publicação vai aparecer em recentes ou mais relevantes dentro da *hashtag*.

Já no Facebook, quando você usa *hashtag*, ajuda a rede social a entender para quem ele irá entregar o conteúdo. As pessoas podem até buscar pela *hashtag*, mas primeiro você vai ver os posts dos seus amigos que marcaram coisas que tenham a ver com essa *hashtag*, depois verá os posts das páginas que você segue, os perfis de amigos dos seus amigos e, finalmente, o restante das pessoas.

É importante saber disso para avaliar a sua estratégia, porque, primeiramente, a sua publicação vai aparecer para as pessoas que estão dentro do seu círculo social na rede social.

Como criar sua página

Espero que você tenha tirado ótimos *insights* para o seu perfil ou do seu cliente até o momento. E, agora, chegou a hora de entender como criar a sua página dentro do Facebook, transformando seu conteúdo em algo profissional. Ela é interessante para quem tem um negócio, uma empresa.

Para criar a sua página, acesse o seu perfil e, no canto esquerdo da tela, vá até o ícone de páginas, clique nele, e lá irão aparecer as páginas que você possui. Caso você já tenha uma, é só clicar nela e acessar; agora, se não tiver, você clica em criar uma nova página. Nela, é possível colocar o nome, categoria que representa a sua área de atuação e descrição, na qual é interessante que você preencha com o máximo de informações possível sobre o seu negócio. Pense nessa página como um site, pois muitas pessoas chegarão a você através dela.

Feito isso, chegou a hora de personalizar a sua página, com uma imagem, que pode ser sua foto ou o logo da empresa, uma imagem de capa, que deve estar de acordo com a sua identidade visual.

Dentro de uma página, além de fazer postagens como no seu *feed* do Facebook, também é possível fazer *stories*, criar eventos, comunidades, receber *feedbacks* das pessoas, etc. Além disso, você consegue acompanhar as métricas e entender como a audiência está se comportando. Aproveite ao máximo de funcionalidades da rede social na sua estratégia.

Função: administrador

Essa função é importante, principalmente, para quem tem um gestor de redes sociais, mas não quer liberar a senha do Instagram ou para quem é um gestor de redes sociais e o cliente não quer compartilhar a senha, pois permite que você inclua uma pessoa como administradora de uma página pelo Facebook. O administrador possui funções "privilegiadas" dentro de uma página.

Com a função de administrador, é possível responder comentários, ficar de olho nas métricas e mexer no estúdio de criação do Facebook, que é onde é possível agendar as postagens do Instagram também.

Para liberar esse acesso, vá até a página, configurações e funções administrativas. Depois, adicione o nome ou e-mail da pessoa que deseja como administrador. Feito isso, volte para a página inicial, entre em caixa de entrada, onde irão aparecer as suas mensagens diretas tanto do Facebook, como também do Instagram. A única questão é se você tem na caixa de entrada aquelas solicitações. Se sim, será preciso aprovar todas para responder pelo Facebook. Outra questão é que, se o cliente recebe um volume grande de mensagens, você não vai conseguir ver, porque o Facebook exibe apenas as últimas 20. Analise com o seu cliente se desta forma é vantajoso para ele.

Estúdio de criação

Essa ferramenta é muito útil para quem produz conteúdo com frequência, inclusive, para o gestor de redes sociais. Aponte a câmera do seu celular para o QRCode abaixo e acesse o Estúdio de Criação.

Dentro dela, você encontra todas as ferramentas necessárias para agendar as suas publicações, analisar o seu desempenho e interagir com a audiência, tanto no Facebook, como também no Instagram. Porém, para usar esse recurso no Instagram, é necessário ter uma conta de criador de conteúdo ou conta comercial.

Com o estúdio, você consegue carregar posts e vídeos, gerenciar páginas, responder às pessoas, analisar e rastrear informações, como quem retorna para acompanhar o seu conteúdo, quanto tempo as pessoas assistem a seus vídeos, entre outras informações.

Vale lembrar que, no Facebook, é possível agendar mais tipos de publicação. Já no Instagram, apenas *feed* (porém, em vários formatos, como foto ou carrossel) e IGTV, o que já ajuda bastante na rotina.

Se tudo estiver ok, basta fazer o *upload* da publicação, incluir a legenda, colocar data e horário que deseja que ela seja postada e, pronto, a ferramenta se encarrega de postar no horário combinado.

Facebook para celular
Para facilitar ainda mais a rotina do gestor de redes sociais e dos seus usuários, o Facebook também conta com uma versão para celular bem completa.

Uma estratégia muito boa é vincular a página do Facebook a do seu Instagram, pois, além de possibilitar o uso da ferramenta de agendamento, também é possível compartilhar os posts do Instagram no Facebook.

Com o Facebook para celular, por exemplo, você consegue pesquisar publicações no explorar. Basta escrever a palavra-chave e buscar. É possível dividir essa busca entre publicações sobre o assunto, pessoas que falam sobre o tema, grupos, *marketplace*, entre outros.

No app também é possível fazer transmissões ao vivo, responder às pessoas, fazer *stories*, acessar às suas configurações, acompanhar os grupos nos quais você faz parte, aceitar novos amigos, enfim, é uma ferramenta bem completa, criada para tornar a rotina dos usuários da rede social mais simples. No início, pode parecer informação demais em um local pequeno, mas, com o tempo, você vai se adaptando também ao Facebook para celular. A nossa dica para isso é: baixe o app, acesse e mexa o máximo que puder. Lembre-se que o gestor de redes sociais é um profissional antenado e curioso, portanto, mexa até entender como cada ferramenta funciona.

Capítulo 15

Dê olho nas novidades

Se você chegou até aqui, sabe que uma das principais características de um bom gestor de redes sociais é que ele precisa estar antenado às principais novidades da Internet. E os próximos anos virão totalmente transformados quando falamos de Internet e inovação!

Nos últimos anos, muitas marcas e negócios viram a necessidade de se reinventar para se manter no mercado, o que acelerou inúmeras mudanças no mundo, inclusive, no da Internet. Foi comum ver a Internet e as marcas transformarem-se em poucos meses no digital, o que era esperado para acontecer em anos. Assustador, porém, necessário.

E se você está consumindo este livro, seja para melhorar as redes sociais da sua empresa e marca ou para se aventurar na profissão de gestor de redes sociais, é importante que esteja à frente da concorrência e entenda as transformações que estão por vir.

Quer descobrir as principais tendências de inovação na Internet para os próximos anos e como cada uma delas pode oferecer oportunidades de crescimento para a sua empresa? Siga em frente e confira!

Tendências para a Internet

Se você quer ser um gestor de redes sociais de sucesso, precisa estar atualizado no que vem por aí. Para ajudá-lo, apresento abaixo as principais tendências para a Internet nos próximos anos. Analise como adaptá-las para as suas estratégias de conteúdo.

Experiência real e virtual

Os consumidores passaram a exigir muito mais das empresas, fazendo com que elas precisassem se inovar para se manterem firmes no mercado.

Segundo informações do Google, desde o início de março de 2020, o interesse na busca por compras online e como comprar online cresceu duas vezes no mundo todo. Com esse amadurecimento dos consumidores, eles passaram a exigir uma experiência mais ágil e melhor das marcas na Internet.

Segundo o Google Trends, as buscas por experiências virtuais aumentaram consideravelmente nos últimos anos. Provador virtual, aulas online, SAC chat online e academia online são algumas das maiores buscas em 2020 e devem continuar fortes.

E como as marcas e empresas podem se beneficiar disso? Inovando e oferecendo um serviço digital com uma experiência cada vez mais próxima da presencial. Quem souber oferecer isso para os clientes irá mais longe.

Aumento do consumo local

O consumo de comércio local e pequeno produtor aumentou e muito nos últimos anos. Segundo uma pesquisa do Google, no Reino Unido, 43% dos consumidores acreditam que apoiar negócios locais é bom para a economia, enquanto 57% das pessoas dizem que estão mais dispostas a gastar seu dinheiro em estabelecimentos que oferecem produtos produzidos localmente.

Além disso, existe também a facilidade de informações, as pessoas querem informações rápidas e também consumir os produtos o mais próximo possível delas. Segundo dados do Google, em 2019, as buscas por "lojas perto de mim" no *mobile* aumentaram 250%.

Se você é um produtor local ou possui um cliente que é, atente-se à importância de estar em vários canais para atingir os seus consumidores. Aposte no uso de localizações nos *stories*, nos posts do Instagram, nas comunidades do Facebook, etc.

Esteja onde o cliente está

O *Tik Tok* foi uma das redes sociais que mais cresceu nos últimos anos, ultrapassando 800 milhões de usuários. Será que o seu público está lá? Que tipo de estratégias você pode criar para impactar as pessoas no *Tik Tok*? Olha aí novamente a importância de conhecer a sua audiência.

Para se ter noção do poder da rede social, recentemente, ela anunciou uma parceria com o *Shopify* para permitir o *social commerce*. Os vídeos curtos têm agradado muito ao público que busca informação e entretenimento de forma rápida.

Uso de dados a seu favor

As redes sociais oferecem métricas importantes para que as marcas possam conhecer a fundo os seus consumidores, portanto, aposte nisso. Para criar estratégias assertivas será preciso saber quem é ele, do que ele gosta e o que busca.

Que novos negócios e reais oportunidades você pode oferecer para esse cliente? Saiba aproveitar os dados que a Internet oferece de maneira fácil e prática, para oferecer uma experiência personalizada.

Propósito nas redes sociais

As pessoas estão buscando marcas que realmente se conectem com elas e mostrem verdade. Segundo estudo realizado pela *Hootsuit*, plataforma de gestão de mídias sociais, 60% dos millennials (geração nascida entre os anos de 1980 e 1994) planejam comprar de grandes empresas que cuidaram dos seus funcionários nos últimos anos.

Os consumidores querem marcas que sustentem seus propósitos e tragam verdade em seus posicionamentos.

Esqueça os números gigantescos

O que realmente impulsionará os conteúdos será o seu engajamento. Números de *likes*, seguidores, tudo isso ficará em segundo plano, pois o importante será como as pessoas interagem com você e se sentem em relação ao seu conteúdo. Ações como os comentários, salvamentos e compartilhamentos ficarão cada dia mais fortes e impactarão diretamente no alcance das publicações.

Conteúdos rápidos e dinâmicos

Os *Reels* no Instagram e a alavancada do *Tik Tok* são provas vivas do quanto as pessoas têm buscado por conteúdos rápidos, dinâmicos e fáceis de serem consumidos.

Esse tipo de conteúdo tem um toque de entretenimento, com músicas e cortes bem ágeis. Para se beneficiar disso em sua estratégia, aposte em microdoses de conteúdo. Dê dicas, mostre seus bastidores, responda perguntas dos seguidores, etc.

Legendas maiores

Ao mesmo tempo em que as pessoas querem conteúdos dinâmicos, elas estão mais dispostas a lerem legendas maiores. Como você pode apostar nisso? Lembre-se de dosar essas tendências, um post com legenda maior, outro com menor, um conteúdo mais dinâmico e rápido, outro denso.

Conteúdo de parada

Você sabe o que isso significa? São os conteúdos que as pessoas param para olhar e interagir. Geralmente, eles vêm em imagens comparativas ou em formato de game, nos quais as pessoas escolhem seus favoritos e dão opinião nos comentários. O algoritmo percebe que você parou para analisar, entender e interagir. Isso é muito bom para que ele entregue o seu conteúdo para mais pessoas, aumentando o seu alcance.

E-commerce nas redes sociais

Com o lançamento do Instagram Shopping e Guias, as vendas pelas redes sociais tendem a aumentar ainda mais. Se você vende produtos, analise como adaptar essa estratégia para a sua empresa. Quanto menos cliques o usuário tiver para fazer uma compra, melhor!

Humanização do atendimento

Lembre-se que as pessoas gostam de interagir com pessoas e, mesmo que o *chatbot* (tipo de *software* que permite a execução automatizada de rotinas de atendimento e vendas a consumidores. Tem como principal diferencial a capacidade de imitar um humano ao responder a cada solicitação do usuário) também seja uma estratégia poderosa, a audiência deseja um atendimento personalizado e humanizado. Se torne mais próximo do seu cliente, veja-o como uma pessoa e não como um *lead*. Analise o comportamento da sua audiência para adotar estratégias de atendimento ainda mais humanizadas.

Mandamentos de um gestor de redes sociais

Se você vai trabalhar como um gestor de redes sociais, de agora em diante, deixe essa lista sempre à vista para não esquecer de nenhum mandamento.

1) Terás objetivos bem-definidos

Para quem não sabe o que quer e onde quer chegar, qualquer coisa serve. Lembre-se disso toda vez que tiver um cliente novo. Os objetivos precisam ser traçados desde o primeiro contato para facilitar a criação de estratégias para o cliente. O que ele deseja: aumentar vendas? Ser reconhecido dentro do seu nicho? Fortalecer a sua marca?

2) Serás organizado

Viver apagando incêndio, sem planejamento e organização não funciona para um gestor de redes sociais. Use plataformas para organizar as tarefas para cada cliente, como o *Trello* ou *Asana*, e tenha pastas para cada um deles com conteúdos, ideias, enfim, organize-se para conseguir otimizar a sua rotina.

3) Estudará o cliente

Ao fechar um cliente, mergulhe no universo dele. Você precisa saber o que ele faz, entender o seu mercado de atuação, até mesmo para criar estratégias assertivas e focar nas redes sociais certas.

4) Conhecerás sua persona

Quem quer falar com todo mundo, não fala com ninguém. É preciso definir a persona do cliente para que consiga criar conteúdos assertivos e se relacionar com ela. Quando você sabe quem é a sua persona, fica mais simples criar estratégias.

5) Jamais perguntarás "como posso ajudá-lo?"

Vai ter uma reunião com um novo cliente? Jamais pergunte isso. Comece perguntando do seu ramo de atuação, o que ele busca nas redes sociais, peça para que ele fale mais do público, entre outras peculiaridades. Quem dirá para o cliente o que irá fazer é você, não ele.

6) Não cairás em tentação de falar sobre tudo

Tenha uma linha editorial bem-definida. Nas redes sociais, é muito fácil cair em tentação e querer falar sobre tudo o tempo todo, mas, para que consiga crescer, você precisa ter um nicho, subnicho e linhas editoriais. Quais os problemas que o seu cliente resolve dentro do seu nicho e subnicho? Liste alguns e foque neles.

7) Irás se adaptar a cada plataforma

Facebook, Instagram, Youtube, LinkedIn: cada plataforma precisa de um tipo de conteúdo. Não dá para replicar o mesmo conteúdo em todas elas. As pessoas que estão nas redes podem até ser as mesmas, mas o comportamento delas em cada uma é diferente. Estude todas plataformas e crie estratégias específicas para cada uma.

8) Criarás conteúdo de valor

O conteúdo de valor é aquele que soluciona alguma dor da sua persona. Lembre-se que conteúdos divertidos, memes e entretenimento ajudam a atrair novos seguidores, mas trazer algo de valor para a sua audiência, não tem preço, além de criar relacionamento e conexão.

9) Serás antenado

As redes sociais são atualizadas o tempo todo e sempre surgem novas ferramentas. É bom sempre estar estudando e atento para incluí-las em sua estratégia. Quando uma ferramenta nova aparecer, se possível, use-a imediatamente, pois as chances de aumentar o alcance do cliente são grandes.

10) Valorizarás o relacionamento

Redes sociais são sobre pessoas e relacionamentos, portanto, responda comentários, mensagens diretas e mostre para o público o quanto o seu cliente se preocupa com eles. Isso faz toda a diferença!

31 ideias de posts

Sem ideias do que postar nas redes sociais no próximo mês? Confira 31 ideias para ter constância e aumentar o seu engajamento!

DIA	POST
1	*Dê uma dica sobre algo*
2	*Poste um print de uma resposta da caixinha de pergunta*
3	*Conte sobre seu planejamento da semana*
4	*Mostre os bastidores do que você faz*
5	*Indique um livro*
6	*Dê um dica que vai facilitar demais o dia a dia da sua audiência*
7	*Poste um TBT com um texto legal que vai ativar seus seguidores*
8	*Poste um vídeo explicando algo*
9	*Poste uma selfie sua com uma legenda sobre o seu negócio*
10	*Fale algo sobre sua família*
11	*Poste um meme engraçado*
12	*Abra uma caixinha de perguntas (post um print de uma resposta sua no feed)*
13	*Peça ajuda sobre algo*
14	*Compartilhe um objetivo seu ou um sonho*
15	*Poste um depoimento de alguém que está curtindo demais seu conteúdo*
16	*Indique um lugar que você já visitou e que você recomenda muito*
17	*Conte a sua rotina*
18	*Indique um filme – que tenha a ver com o seu conteúdo*
19	*Conte sua história*
20	*Conte uma notícia sobre algo na sua área*
21	*Fale sobre a conquista de algum cliente ou de alguém da sua audiência*
22	*Post uma frase que tem a ver com a sua audiência*
23	*Faça um tutorial que ajude alguém*
24	*Indique um app que vai ajudar sua audiência*
25	*Disponibilize um e-book de 5 páginas no máximo sobre algo do seu conteúdo*
26	*Faça uma live com alguém*
27	*Peça que te indiquem livros sobre o seu conteúdo*
28	*Divulgue um blog sobre o seu assunto*
29	*Post um dado através de infográficos, sobre seu conteúdo*
30	*Post um vídeo sobre o seu conteúdo*
31	*Poste mais depoimentos da sua audiência*

Tamanho de publicações

Em dúvida na hora de criar uma publicação? Aqui vão tamanhos e formatos para não errar mais!

Foto de perfil
110 x 110 pixels

Formato Landscape
1080 x 608 pixels proporção 1,91:1

Formato Square
600 x 600 pixels proporção 1:1

Tamanho de Imagens e Vídeos dos Stories
1080 x 1920 pixels proporção 9:16

Formato Portrait
1080 x 1350 pixels proporção 4:5

Análise de perfil

Para organizar os seus dados ou do seu cliente, confira esse exemplo de planilha de acompanhamento. Com ela, vai ser mais fácil entender o que deu certo, não rolou e turbinar a sua estratégia!

Data	Tipo de conteúdo	Post Insights					Visitas ao perfil
		Conteúdo	Like	Comentários	Compart.	Salvos	

Interações		Descobertas						
Cliques no site	Respostas	Seguidores	Alcance	% não estavam seguindo	Da página inicial	Do perfil	Da localização	Outros

Os Códigos do Gestor ce Redes Sociais

Data	Instagram Insights				
	Impressões	*Alcance*	*Visitas ao perfil*	*Cliques do site*	*Cliques para e-mail*

Calendário de conteúdo

Além de ter uma linha editorial com a definição de temas e até quadros para o seu conteúdo, também é necessário se planejar com um calendário de conteúdo para não perder nenhuma data importante.

Quando menciono ter um calendário, a ideia é que você crie um esquema com todas as datas importantes durante o ano para o seu cliente, que pode ser um Word ou Excel, mas é importante que seja visual. Faça isso logo no início para otimizar o seu planejamento de postagens.

Por exemplo: feriados nacionais, datas sazonais, como dia das mães, dia dos pais, Natal, Ano Novo, entre outros. Essas datas são importantes para se antecipar e criar ações e conteúdos especiais, pois costumam engajar mais. Vale lembrar que, mesmo que alguns feriados não tenham relação com o seu cliente, é bom ficar atento, pois pode haver queda de engajamento, menos pessoas online, enfim, um bom gestor de redes sociais é ligado em tudo.

Outras datas que você precisa ficar atento na hora de criar um calendário de conteúdo são as relacionadas a eventos importantes dentro do nicho do seu cliente. Por exemplo: feiras, eventos, congressos, eventos importantes da marca dele, aniversário da marca, entre outros.

Quando você tem um calendário, consegue bater o olho e identificar na hora que tipo de conteúdo e até formatos seria legal trabalhar. É importante também porque, com ele, você consegue lembrar o cliente com antecedência de gravar algo especial, dar um depoimento, fazer uma *live*, para que ele não perca nenhuma oportunidade.

Primeira hora de um post

Você sabia que a primeira hora de um post no Instagram é a mais importante, pois é ela quem determinará o seu sucesso?

É na primeira hora que os posts possuem mais interação, porque é quando as pessoas estão recebendo o conteúdo, comentam, salvam, compartilham, etc. Uma boa dica é avisar as pessoas nos *stories* que tem um post novo no feed e fazer uma certa propaganda sobre ele. Ou você também pode gravar *stories* falados falando sobre o post. Você vai escolher a melhor maneira de abordar a sua audiência.

Esse tipo de interação, trazendo importância para a primeira hora do post, vai fazer com que você atraia atenção das pessoas para entrar no seu *feed* e ver, salvar, curtir e comentar no post.

Uma maneira de despertar a curiosidade também é subir o post nos seus *stories*, colocar algum gif com *"new post"* em cima e fazer uma chamada com um texto bem atrativo, como "não veja esse post" ou "esse post irá mudar a sua vida". Conforme as pessoas forem até o seu *feed* interagir com você, o algoritmo vai ver que o seu conteúdo está interessando a audiência e vai entregar para mais pessoas.

E lembre-se, não adianta nada fazer todo esse barulho para que as pessoas vejam o seu conteúdo, se elas comentam e você não responde. Interaja também na primeira hora, responda os comentários com outra pergunta, porque isso vai fazer a audiência responder e você vai aumentando o engajamento e vai ganhando pontos no algoritmo para ter mais alcance.

Afinal, existe conteúdo ruim?

Isso depende e é muito relativo. Há conteúdos fracos, que não geram valor e que não despertam o interesse da audiência. Contudo, também há aqueles conteúdos que não atraem a atenção das pessoas que gostavam antes.

As pessoas costumam reclamar que perdem muitos seguidores diariamente. E isso quer dizer que o seu conteúdo é ruim? Nem sempre!

Às vezes, os seguidores só não estão tão engajados com você naquele momento, isso é natural.

É normal perder seguidores, porque em um momento a pessoa se identifica e, no outro, já não se identifica mais. Isso acontece com todo mundo! O que não pode acontecer é você perder mais seguidores do que ganhar, aí você tem um alerta.

O conteúdo pode ser considerado ruim quando as pessoas querem consumir aquele conteúdo que você gera, aprender sobre o que você fala, mas não querem aprender com você e nem da forma que está passando. Nesse caso, o que pode estar acontecendo é a falta de conexão com o público e de informações que gerem valor.

Será que você está insistindo em conteúdos que não são prazerosos para a sua audiência? Analise os *feedbacks* que o público dá nos comentários. Questione as pessoas usando as enquetes e interaja com elas.

ALGORITMO

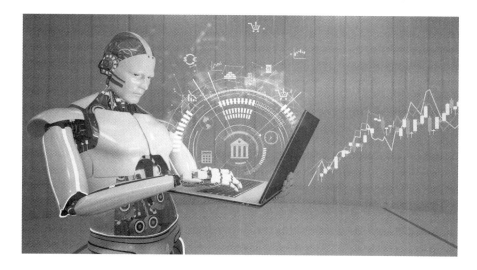

Como fazer resumos de conteúdo

Se você está se perguntando, por que fazer resumos do conteúdo? Ou que resumos são esses? Muita calma! É comum que você nunca tenha ouvido falar sobre essa prática, porque essa não é totalmente a função do gestor de redes sociais, mas, talvez, nesse início de carreira, você tenha essa atividade também.

Mesmo que você não faça e consiga uma parceria com alguém que faça textos, é importante que saiba direitinho como isso funciona para explicar para a pessoa como você deseja que ela faça.

Um fato interessante sobre o empreendedorismo é que você não precisa dominar todas as atividades, mas é necessário saber fazer todas as funções do seu negócio, pois só assim você vai saber se as coisas estão fluindo da maneira que você deseja. No início de carreira, é importante colocar a mão na massa em tudo!

Há muitos profissionais da área que não fazem resumo, então aqueles que fazem possuem um diferencial competitivo no mercado. O resumo é quando as pessoas transcrevem o conteúdo das lives, por exemplo. A importância desse resumo é ter acesso aos textos de uma forma mais rápida, quando você vai postar um vídeo *Nutella* de uma *live*, vai montar um conteúdo para o cliente e quer pegar a linguagem dele. Então, é importante que no resumo você pegue exatamente as frases do jeito que ele fala, com gírias, vícios de linguagem, etc. Para que isso? Para ter acesso a esse conteúdo de maneira simples e entender a linguagem do cliente de uma forma mais rápida.

É importante passar para as pessoas que forem fazer os seus resumos que você não quer um texto do conteúdo, você quer um resumo da linguagem do cliente.

Por exemplo, se em algum momento você quiser falar sobre caixa de perguntas, busque no resumo o que você falou que possa usar para algum conteúdo. Deu para entender a importância do resumo? Esses textos funcionam como um arquivo de conteúdos seus para a criação de futuros textos de legendas, temas de vídeos, posts, etc.

Se você é um gestor de redes sociais, já é importante sempre assistir às lives do seu cliente, pois, além de analisar melhor o comportamento dele, é legal para pegar uma ideia que surja e postar algum conteúdo de oportunidade. Além disso, você também pode criar o hábito de transcrever essas lives, pois assim você absorve a linguagem desse cliente e tem mais tempo para desmembrar o conteúdo.

Para fazer a transcrição, abra um documento de Word e comece a digitar tudo o que o cliente estiver falando. No momento em que estiver transcrevendo, uma ótima dica é já ir destacando as partes que achar interessante e também temas para novos conteúdos que acredite que possam ser aproveitados. Isso vai facilitar e muito a sua rotina com o cliente, pois de uma *live* podem sair inúmeros conteúdos autorais.

Vale lembrar que nem todo cliente necessita do resumo, isso vai depender muito do nicho e das estratégias de conteúdo dele, cabe a você analisar.

Reciclando conteúdos

Em redes sociais, como o Instagram e Facebook, o conteúdo não é empilhável, o que quer dizer que ele tem tempo útil de vida. Como o público nessas redes se renova o tempo todo, por que não reaproveitar conteúdos que tiveram um bom desempenho de tempos em tempos? Essa é uma prática comum entre os profissionais da área e costuma dar muito certo. Vale lembrar que não estou falando sobre replicar um conteúdo, mas trazê-lo de outra maneira para deixá-lo fresco.

Afinal, o que fazer para melhorar um conteúdo que você postou no último mês? Escreva uma legenda diferente, mude o formato para um carrossel, transforme o mesmo conteúdo em um IGTV, use um post antigo no seu Telegram, etc. Você também pode regravar um vídeo no Youtube, mas, com informações atualizadas, isso funciona bem. Ou grave um mesmo conteúdo que fez para o Youtube ou um áudio para o Telegram, mas de uma maneira descontraída para o IGTV.

Quando você fala de um mesmo tema por muito tempo, precisa deixar os conteúdos frescos, pois pode ficar repetitivo. Use a criatividade e explore seus temas de diversas formas!

Facilite a criação de conteúdo

Se você transformar a sua criação de conteúdo em algo leve, você vai longe. Caso contrário, as chances de desistir no meio do caminho são grandes.

Para facilitar a sua rotina, tenha um local para gravar e trabalhar, pode ser um cantinho em casa, mas que esteja limpo e organizado. Tenha um tripé, uma luz própria, ou fique próximo da janela para usar a luz natural. De manhã, entre às 7h e às 9h, tem uma luz ótima.

Ao transformar a sua rotina de criação de conteúdo em algo massante, você vai acabar desistindo. Aí não adianta nada ter mil ideias de conteúdo e saber estratégias.

Seja essa pessoa para o seu cliente também. Ajude-o com isso, passe um dia com ele, ensine-o como fazer os vídeos, os conteúdos, pois, isso, além de facilitar o seu trabalho, irá ajudá-lo a criar materiais cada vez melhores. Estimule-o a ter esse olhar de criação de conteúdo no dia a dia dele também, mostre que não é tão difícil quanto ele imagina.

Tenha uma mente de resolução de conteúdo para o seu cliente, pois, se você dificultar isso para ele, o cliente vai desistir e não vai querer fazer mais nada. Tente ao máximo fazer com que isso seja leve para ambas as partes.

**CONFIRA NOSSOS
LANÇAMENTOS AQUI!**